MEU PRIMEIRO DICIONÁRIO ILUSTRADO

de Língua Portuguesa

EXPEDIENTE

FUNDADOR	Italo Amadio *(in memoriam)*
DIRETORA EDITORIAL	Katia F. Amadio
EDITORA-ASSISTENTE	Ana Paula Ribeiro
ASSISTENTE EDITORIAL	Maya Indra Oliveira
COORDENAÇÃO	Ubiratan Rosa
REVISÃO	Ana Lucia Sesso Célia Aparecida da Silva Lisabeth Bansi
EDIÇÃO DE ARTE	Hulda Melo
PROJETO GRÁFICO	Anne Marie Bardot
DIAGRAMAÇÃO	Denilson dos Santos
ICONOGRAFIA	Anne Marie Bardot Jaqueline Spezia
PRODUÇÃO GRÁFICA	Helio Ramos

Dados Internacionais de Catalogação na Publicação (CIP)
(Câmara Brasileira do Livro, SP, Brasil)

Meu primeiro dicionário ilustrado de Língua Portuguesa / [organizador] Ubiratan Rosa. -- 2. ed. -- São Paulo : Rideel, 2011.

1. Dicionários ilustrados 2. Português - Dicionários I. Rosa, Ubiratan.

10-13017   CDD-030.833

Índice para catálogo sistemático:
1. Dicionários para crianças : Português 030.833

ISBN 978-85-339-1756-9

Todos os esforços foram feitos para identificar e confirmar a origem e autoria dos versos utilizados como exemplo em alguns verbetes desta obra. Os editores corrigirão e atualizarão em edições futuras informações e créditos incompletos ou involuntariamente omitidos. Solicitamos complementar ou contestar informações apresentadas nesta obra.

© Todos os direitos reservados à

EDITORA RIDEEL **BICHO ESPERTO** **ABDR EDITORA AFILIADA**

Av. Casa Verde, 455 – Casa Verde
CEP 02519-000 – São Paulo – SP
e-mail: sac@rideel.com.br
www.editorarideel.com.br

Proibida a reprodução total ou parcial desta obra, por qualquer meio ou processo, especialmente gráfico, fotográfico, fonográfico, videográfico, internet. Essas proibições aplicam-se também às características de editoração da obra. A violação dos direitos autorais é punível como crime (art. 184 e parágrafos, do Código Penal), com pena de prisão e multa, conjuntamente com busca e apreensão e indenizações diversas (artigos 102, 103, parágrafo único, 104, 105, 106 e 107, incisos I, II e III, da Lei nº 9.610, de 19-2-1998, Lei dos Direitos Autorais).

Ubiratan Rosa

MEU PRIMEIRO DICIONÁRIO ILUSTRADO
de Língua Portuguesa

2ª edição

BICHO ESPERTO

Meu Primeiro Dicionário Ilustrado de Língua Portuguesa

Aos pais e mestres

O objetivo principal de uma obra desta natureza é suscitar nas crianças dos primeiros anos do Ensino Fundamental o gosto pela consulta aos dicionários. Essa consulta, de início, não deve ser feita exclusivamente por elas, mas em conjunto com seus pais e mestres.

Monteiro Lobato, entre outros, recomendava a leitura de dicionários. Não apenas a sua consulta esporádica, mas a sua leitura constante como excelente exercício para a aquisição de vocabulário e mais fácil compreensão conceitual das palavras.

É o que, nesse caso, se recomenda: que pais e mestres realizem breves sessões de leitura e interpretação desse dicionário com seus filhos e alunos.

Nas definições de inúmeros vocábulos, embora as façamos em linguagem simples, com frases explicativas, não raro bem infantis, somos forçados, vez ou outra, a usar termos de mais difícil entendimento, donde a necessidade da presença do pai, da mãe, do mestre, para esclarecimentos suplementares e paralelos.

A redação dos verbetes, catalogados em rigorosa ordem alfabética e profusamente ilustrados, inclui a separação de sílabas (com destaque para a sílaba tônica) e uma breve classificação gramatical. Ao ler esses verbetes, os adultos devem pronunciar destacadamente as sílabas, para que seus filhos ou alunos memorizem a prosódia respectiva, e ajuntar informações para que eles se habituem a diferençar um substantivo de um adjetivo, um verbo de um advérbio etc.

Nessas breves sessões de pesquisa e estudo, os pequenos aprenderão a recorrer aos dicionários quando tiverem dúvidas quanto a significados, e saberão o que se pode adquirir de tais consultas e leituras.

Os dicionários são obras ricas de informações gerais, e disso é que precisam saber os consulentes e leitores mirins, futuros frequentadores de obras de maior fôlego.

Os Editores

Índice

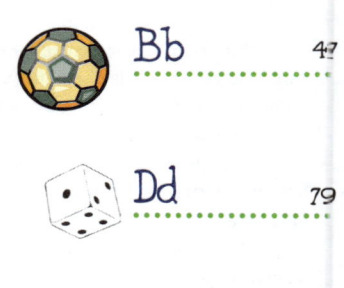

Aa 9

Bb 47

Cc 59

Dd 79

Ee 87

Ff 97

Gg 107

Hh 115

Ii 119

Jj 127

Kk 131

Ll 133

Mm 143

Nn 159

Oo 167

Pp 175

Qq 197

Rr 201

Ss 217

Tt 233

Uu 253

Vv 257

Ww 271

Xx 273

Yy 275

Zz 277

Aa

A (*substantivo*)

Primeira letra do abecedário ou alfabeto. Pode ser maiúsculo: A, ou minúsculo: a. O **a** é uma vogal (Veja essa palavra).

ABACATE (a-ba-*ca*-te) (*substantivo*)

Fruto da árvore chamada **abacateiro,** de polpa muito macia: *Gosto de* **abacate** *amassado com açúcar e limão.*

ABAIXO (a-*bai*-xo) (*advérbio*)

Em posição inferior: *Os submarinos navegam* **abaixo** *da superfície dos oceanos*

ABAJUR (a-ba-*jur*) (*substantivo*)

Peça de forma e material variados (papel, tecido, vidro etc.) que, adaptada a uma lâmpada, forma um objeto que serve para iluminar um pequeno espaço. *Usa-se o* **abajur** *sobre o criado-mudo, ao lado da cama.*

ABANDONAR (a-ban-do-*nar*) (*verbo*)

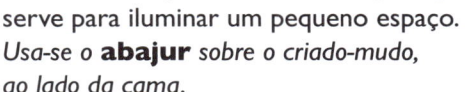

Deixar para sempre: *Ele* **abandonou** *o vício de fumar.*
Desamparar: **Abandonaram** *o pobre velho num asilo.*

ABATER (a-ba-*ter*) (*verbo*)

Matar: *Os bois são* **abatidos** *no matadouro.*
Cortar, derrubar: *Para fabricar móveis é preciso* **abater** *muitas árvores.*
Enfraquecer: *A doença* **abateu** *o menino.*
Descontar: *O gerente mandou* **abater** *quinze por cento do preço marcado.*

A b c d e f g h i j k l m n o p q r s t u v w x y z

ABECEDÁRIO (a-be-ce-*dá*-rio) (*substantivo*)

Coleção das letras que usamos para escrever, também chamada alfabeto: *Nosso* **abecedário** *é de 26 letras: a, b, c, d, e, f, g, h, i, j, k, l, m, n, o, p, q, r, s, t, u, v, w, x, y, z.*

ABELHA (a-be-lha) (*substantivo*)

Inseto que produz mel e cera: *As* **abelhas** *vivem em colmeias, e dividem-se em machos, operárias e abelha-mestra ou rainha.*

ABENÇOAR (a-ben-ço-*ar*) (*verbo*)

Dar a bênção a uma pessoa: *Quando dizemos ao nosso pai: "A bênção, pai", ele diz: "Deus te* **abençoe"** *(assim ele pede a Deus que nos proteja).*

ABERTURA (a-ber-*tu*-ra) (*substantivo*)

Fenda, buraco, brecha: *A raposa entrou por uma* **abertura** *que havia no galinheiro.*
Começo, inauguração: *Na* **abertura** *do jogo todos cantaram o Hino Nacional.*

ABISMO (a-*bis*-mo) (*substantivo*)
Lugar muito profundo, também chamado **precipício**: *Nos mares também existem* **abismos**, *chamados fossas submarinas.*

ABÓBORA (a-*bó*-bo-ra) (*substantivo*)
Fruto de uma planta rasteira chamada **aboboreira**, e da qual existem muitas espécies: *Pedrinho gosta do doce que sua mãe faz com a* **abóbora-moganga**, *ou* **moranga**.

ABOCANHAR (a-bo-ca-*nhar*) (*verbo*)
Apanhar, pegar com a boca: *O peixe* **abocanhou** *a isca e foi pescado.*

ABOLIÇÃO (a-bo-li-*ção*) (*substantivo*)
Extinção, fim de alguma coisa: *A princesa Isabel assinou a* **abolição** *da escravatura em 13 de maio de 1888.*

ABRAÇAR (a-bra-*çar*) (*verbo*)
Cercar com os braços e apertar contra o peito: *Ana adora* **abraçar** *seu ursinho de pelúcia.*

ABREVIAR (a-bre-vi-*ar*) (*verbo*)
Encurtar, diminuir: *Para **abreviar** o tempo do meu trabalho, pedi ajuda a meu irmão.*

ABRIGO (a-*bri*-go) (*substantivo*)
Lugar em que se fica protegido do sol, da chuva, do frio: *Antes que a chuva caísse, busquei um **abrigo**.*
Asilo: *Ontem fomos visitar um **abrigo** de idosos.*

ABRIL (a-*bril*) (*substantivo*)
Quarto mês do ano, entre março e maio, com 30 dias: *Em 22 de **abril** de 1500 Pedro Álvares Cabral descobriu o Brasil.*

ABRIR (a-*brir*) (*verbo*)
Separar o que estava unido ou fechado: *João **abriu** o livro no capítulo primeiro.*
Forçar a passagem para chegar a algum lugar: *Eles **abriram** caminho entre o povo.*

ABSOLVER (ab-sol-*ver*) (*verbo*)
Declarar sem culpa, dizer que é inocente: *Por falta de provas, o juiz resolveu **absolver** o acusado.*

ABUNDANTE (a-bun-*dan*-te) (*adjetivo*)
Que existe em grande quantidade: *A escola é **abundante** em alunos.*

ABUSAR (a-bu-*sar*) (*verbo*)

Usar mal ou exagerar no uso de alguma coisa: *Ele* **abusou** *do sorvete e ficou resfriado.*
Ser inconveniente, contrário à boa educação: *Não* **abuse** *da boa vontade do seu pai.*

ACABAR (a-ca-*bar*) (*verbo*)

Terminar, completar: *Julinho* **acabou** *a lição.*
Esgotar, chegar ao fim: *Nosso dinheiro* **acabou**.

ACALMAR (a-cal-*mar*) (*verbo*)

Deixar calmo, sossegado: *O médico* **acalmou** *o doente.*

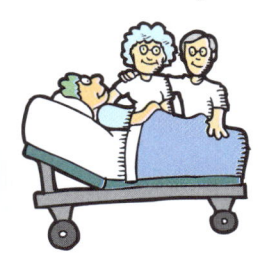

ACAMADO (a-ca-*ma*-do) (*adjetivo*)

Pessoa doente que não pode sair da cama: *Os doentes* **acamados** *precisam de cuidados especiais.*

ACAMPAMENTO (a-cam-pa-*men*-to) (*substantivo*)

Reunião de barracas de lona ao ar livre: *Nas férias escolares Rafael vai passar alguns dias num* **acampamento**.

ACANHADO (a-ca-*nha*-do) (*adjetivo*)
Tímido, envergonhado: *Não vivem bem as pessoas* **acanhadas**.

AÇÃO (a-ção) (*substantivo*)
Aquilo que se faz, movimento: *Boas* **ações** *agradam a Deus*.

ACARICIAR (a-ca-ri-ci-*ar*) (*verbo*)
Fazer carícias em: *Os velhinhos ficam felizes quando* **acariciamos** *seus cabelos brancos*.

ACATAR (a-ca-*tar*) (*verbo*)
Aceitar, respeitar: *O empregado* **acatou** *as ordens do patrão*.

ACEITAR (a-cei-*tar*) (*verbo*)
Receber aquilo que nos dão, ou nos oferecem: *As pessoas orgulhosas não* **aceitam** *ajuda*.

ACELERAR (a-ce-le-*rar*) (*verbo*)
Aumentar a velocidade, apressar: *Vamos* **acelerar** *este trabalho!*

ACENDER (a-cen-*der*) (*verbo*)
Fazer que pegue fogo ou fique claro: *Pode-se* **acender** *o fogo, a vela, a lâmpada*.

ACENTO (a-cen-to) (*substantivo*)
Sinal que indica o som de uma vogal: *O som aberto é indicado pelo* **acento agudo** *(´), como na palavra* **sofá**; *o som fechado, pelo* **acento circunflexo** *(^), como na palavra* **avô**.

ACHAR (a-*char*) (*verbo*)
Encontrar: **Achei** *o anel que tinha perdido.*
Ter uma opinião: **Acho** *Clarice muito bonita.*

> **ACHATAR** (a-cha-*tar*) (*verbo*)
> Fazer que fique chato: *Mamãe* **achatou** *a massa da pizza.*

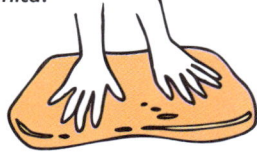

ACIDENTE (a-ci-*den*-te) (*substantivo*)
O que acontece de repente, desastre: *Meu tio sofreu um* **acidente** *de trânsito.*

ACIMA (a-*ci*-ma) (*advérbio*)
Em lugar mais elevado: **Acima** *de meu pai, só Deus.*

> **ACOMPANHAR** (a-com-pa-*nhar*) (*verbo*)
> Ir na companhia de alguém: *O cão sempre* **acompanha** *o dono.*

ACONSELHAR (a-con-se-*lhar*) (*verbo*)
Dizer a alguém o que fazer: **Aconselhar** *teimosos é perder tempo.*

ACONTECER (a-con-te-*cer*) (*verbo*)
Suceder, realizar-se: *Faz muito tempo que isso* **aconteceu**.

ACONTECIMENTO (a-con-te-ci-*men*-to) (*substantivo*)
Aquilo que acontece, aconteceu ou vai acontecer: *A visita do papa ao Brasil foi um dos grandes* **acontecimentos** *do ano.*

ACORDAR (a-cor-*dar*) (*verbo*)
Sair do sono: **Acordei** *e abri os olhos.*
Fazer alguém sair do sono:
Vá **acordar** *o seu irmão.*

ACORDEÃO (a-cor-de-*ão*) (*substantivo*)
Instrumento musical também chamado sanfona: *Minha prima toca* **acordeão**.

AÇOUGUE (a-çou-gue) (*substantivo*)
Lugar no qual vamos comprar carne. *No* **açougue** *compramos carne de boi, de porco, de frango.*

ACREDITAR (a-cre-di-*tar*) (*verbo*)
Aceitar como verdade, crer: **Acredito** *no que você me diz.*

AÇÚCAR (a-çú-car) (*substantivo*)
Substância doce e solúvel em líquido que se tira da cana-de-açúcar: *Comer* **açúcar** *estraga os dentes.*

AÇUDE (a-çu-de) (*substantivo*)
Barragem feita em rio, para represar água: *No Nordeste do Brasil existem muitos* **açudes**, *por causa das secas prolongadas.*

ACUSAR (a-cu-*sar*) (*verbo*)
Dizer que é culpado: *A mulher* **acusou** *o motorista de ter atropelado o menino.*
Revelar, mostrar: *A impressão digital* **acusou** *o criminoso.*

ADEGA (a-de-ga) (*substantivo*)
Onde se guardam bebidas: *Minha casa não tem* **adega**.
Casa onde se vendem bebidas: *Compramos vinho na* **adega** *da esquina*.

ADERIR (a-de-*rir*) (*verbo*)
Seguir um partido, uma causa, um movimento: *Ele* **aderiu** *à religião católica*.

ADESIVO (a-de-*si*-vo) (*adjetivo*)
Que gruda: *Onde está a fita* **adesiva**?

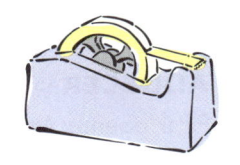

ADEUS (a-*deus*) (*interjeição*)
Palavra de despedida que quer dizer: "*Deus te acompanhe!*"

ADIANTE (a-di-*an*-te) (*advérbio*)
Em frente: *O colégio fica logo* **adiante**.
Para a frente: *Depois, seguimos* **adiante**.

ADIAR (a-di-*ar*) (*verbo*)
Deixar para outra ocasião, para outro dia: *Porque eu estava gripado, papai resolveu* **adiar** *nossa viagem a Santos*.

ADIVINHAR (a-di-vi-*nhar*) (*verbo*)
Dizer o que pensa que vai acontecer no futuro: *Meu tio diz que ninguém pode* **adivinhar** *o futuro*.

ADJETIVO (ad-je-*ti*-vo) (*substantivo*)
Palavra que indica a qualidade de um substantivo: *Quando dizemos: "homem bom", "bom" é* **adjetivo**.

ADOÇANTE (a-do-çan-te) (*substantivo*)
O que deixa doce: *Quem não pode comer açúcar usa* **adoçante**.

ADOÇAR (a-do-çar) (*verbo*)
Tornar doce, ou mais doce: *Com açúcar* **adoçamos** *o café*.

ADOECER (a-do-e-cer) (*verbo*)
Ficar doente: *Agasalhe-se bem para não* **adoecer**.

ADOENTADO (a-do-en-ta-do) (*adjetivo*)
Um tanto doente: *Tomou chuva e ficou* **adoentado**.

ADOLESCENTE (a-do-les-cen-te) (*substantivo*)
Pessoa que está na **adolescência**, período da nossa vida que vai dos 12 aos 18 anos (muitos estudiosos dizem que vai até os 25 anos).

ADORMECER (a-dor-me-cer) (*verbo*)
Pegar no sono: *Mamãe sabe cantigas para o bebê* **adormecer**.

ADOTIVO (a-do-ti-vo) (*adjetivo*)
Que foi recebido como filho: *Joãozinho é o filho* **adotivo** *do meu tio*.

ADQUIRIR (ad-qui-*rir*) (*verbo*)
Conseguir, conquistar: *O atleta* **adquiriu** *fama.*
Comprar: *Ele* **adquiriu** *muitas casas.*

ADUBO (a-*du*-bo) (*substantivo*)
Substância que se põe na terra para melhorar sua produção: *O excremento animal é um dos melhores* **adubos**.

ADULTO (a-*dul*-to) (*substantivo*)
Pessoa ou animal totalmente desenvolvidos: *É* **adulto** *aquele que atingiu a maturidade.*

ADVÉRBIO (ad-*vér*-bio) (*substantivo*)
Palavra que modifica um verbo, um adjetivo ou outro advérbio, e pode ser de **lugar**: "aqui"; de **tempo**: "hoje"; de **modo**: "devagar" etc.

ADVERSÁRIO (ad-ver-*sá*-rio)
(*adjetivo*) Que se opõe, que está contra: *O grupo* **adversário** *venceu o jogo.*
(*substantivo*) Aquele que está contra, rival: *É melhor fazer as pazes com os nossos* **adversários**.

ADVERTIR (ad-ver-*tir*) (*verbo*)
Repreender com delicadeza: *O professor* **advertiu** *o aluno barulhento.*

ADVOGADO (ad-vo-*ga*-do) (*substantivo*)
Pessoa que se formou em Direito para defender os outros: *Para que me façam justiça preciso de um* **advogado**.

AÉREO (a-é-reo) (*adjetivo*)
Que se move nos ares: *Os aviões são objetos* **aéreos**.
Que se refere ou pertence à aviação: *Tráfego* **aéreo**.

AEROPORTO (a-e-ro-*por*-to) (*substantivo*)
Campo em que descem e do qual sobem aviões: *Ao* **aeroporto** *de Cumbica chegam aviões de todos os países.*

AFASTAR (a-fas-*tar*) (*verbo*)
Separar uma coisa de outra: **Afaste** *o sofá da parede.*
Fazer sair de perto: *Pedi para ele se* **afastar** *de mim.*

AFEIÇÃO (a-fei-*ção*) (*substantivo*)
Carinho, amizade, amor: *Tenho muita* **afeição** *por meus irmãos.*

AFETO (a-*fe*-to) (*substantivo*)
Sentimento de amizade, estima: *Ele me ofereceu o livro com carinho e* **afeto**.

AFETUOSO (a-fe-tu-*o*-so) (*adjetivo*)
Que tem afeto, carinhoso: *Dei-lhe um abraço* **afetuoso**.

AFIAR (a-fi-*ar*) (*verbo*)
Aumentar o poder de corte: *Vamos* **afiar** *a faca e, depois, a tesoura.*

AFINAL (a-fi-*nal*) (*advérbio*)
Por fim, enfim: **Afinal**, *você vai à escola?*

AFINCO (a-*fin*-co) (*substantivo*)
Insistência, dedicação: *Trabalhou com* **afinco** *até de madrugada.*

AFIRMAR (a-fir-*mar*) (*verbo*)
Falar com firmeza, dar por certo: *Pode-se* **afirmar** *que o Sol é uma estrela.*

AFIRMATIVO (a-fir-ma-*ti*-vo) (*adjetivo*)
Que afirma, positivo: *Pedro respondeu com um movimento* **afirmativo** *de cabeça.*

AFLIÇÃO (a-fli-*ção*) (*substantivo*)
Desespero, sofrimento: *Por que tanta* **aflição?**

AFIXAR (a-fi-*xar*) (*verbo*)
Pregar: *O diretor* **afixou** *o aviso no quadro.*

AFLUENTE (a-flu-*en*-te) (*substantivo*)
Rio que lança suas águas em outro rio: *O rio Amazonas tem muitos* **afluentes**.

AFUGENTAR (a-fu-gen-*tar*) (*verbo*)
Fazer que fuja, espantar: *O tiro do caçador* **afugentou** *a caça.*

AFUNDAR (a-fun-*dar*) (*verbo*)
Fazer que vá ao fundo:
A tempestade **afundou** *o navio.*
Ir ao fundo: *O barquinho* **afundou**.

AGASALHO (a-ga-sa-lho) (*substantivo*)
Roupa com que conservamos o calor do nosso corpo: *No inverno vestimos* **agasalhos**.

AGÊNCIA (a-gên-cia) (*substantivo*)
Escritório de negócios: **Agência** *de viagens*.
Filial de banco ou empresa: **Agência** *bancária*, **agência** *comercial*.

AGENDA (a-gen-da) (*substantivo*)
Livro em que se anotam coisas por fazer, endereços, telefones etc.: *Na minha* **agenda** *escrevo o endereço de meus colegas*.

ÁGIL (á-gil) (*adjetivo*)
Que se movimenta ou faz com rapidez: *O mágico é muito* **ágil**.

AGITAR (a-gi-tar) (*verbo*)
Sacudir: *No remédio estava escrito:* "**Agite** *antes de usar*".

AGORA (a-go-ra) (*advérbio*)
Nesta hora, neste momento, já: *Faça a lição* **agora**, *não depois*.

AGOSTO (a-gos-to) (*substantivo*)
Oitavo mês do ano, entre julho e setembro, com 31 dias: *22 de* **agosto** *é o Dia do Folclore*.

AGOURO (a-gou-ro) (*substantivo*)
Adivinhação do que pode acontecer no futuro: *Ninguém deve acreditar em mau* **agouro**.

AGRADAR (a-gra-*dar*) (*verbo*)
Contentar: *Quem é bom* **agrada** *a Deus.*
Fazer carinho: *Quando* **agrado** *o meu cão, ele abana o rabo.*

AGRADÁVEL (a-gra-*dá*-vel) (*adjetivo*)
Que agrada, que deixa contente: *Luísa é uma pessoa* **agradável**.

AGRADECER (a-gra-de-*cer*) (*verbo*)
Demonstrar gratidão, reconhecer o bem que nos fizeram: **Agradeço** *a meus pais por minha vida.*

AGRESSÃO (a-gres-*são*) (*substantivo*)
Ataque, ofensa, provocação: *Aquele que agride recebe* **agressão**.

AGRIÃO (a-gri-*ão*) (*substantivo*)
Verdura que se come na forma de salada: *O* **agrião** *faz bem à saúde dos pulmões.*

AGRÍCOLA (a-*grí*-co-la) (*adjetivo*)
Que se refere ou pertence à agricultura: *Neste ano a produção* **agrícola** *foi muito boa.*

AGRICULTURA (a-gri-cul-*tu*-ra) (*substantivo*)
Arte e ciência de cultivar a terra: *Pela* **agricultura** *tiramos da terra nossos alimentos.*

AGRUPAR (a-gru-*par*) (*verbo*)
Juntar em grupo: *O capitão* **agrupou** *os soldados no pátio do quartel.*

ÁGUA (á-gua) (*substantivo*)

Líquido incolor (sem cor) e inodoro (sem cheiro), composto de dois gases: hidrogênio e oxigênio: *A* **água** *cobre a maior parte (3/4) da superfície da Terra.*

AGUACEIRO (a-gua-cei-ro) (*substantivo*)

Chuva forte que cai de repente e logo passa: *Juca ia para a escola quando caiu o* **aguaceiro**.

AGUADO (a-gua-do) (*adjetivo*)

Que tem muita água: *Este café está* **aguado**.

AGUAR (a-guar) (*verbo*)

Molhar, regar: *Por ordem do pai, Juquinha* **aguou** *as plantas.*

AGUARDAR (a-guar-dar) (*verbo*)

Esperar: *Os alunos* **aguardavam** *a presença do professor.*

ÁGUIA (á-guia) (*substantivo*)

Grande ave de bico recurvado e garras muito fortes: *A* **águia** *é uma ave de rapina, quer dizer, ataca com violência os animais de que se alimenta.*

AGULHA (a-gu-lha) (*substantivo*)

Pequena haste de aço, fina e comprida, com um buraco num dos lados, por onde se enfia a linha de costurar, ou a lã de bordar: *Mamãe picou o dedo com a* **agulha**.

AJUDAR (a-ju-*dar*) (*verbo*)

Auxiliar, socorrer, amparar: *O bom cristão* **ajuda** *os pobres.*
Colaborar: *Maria trabalha para* **ajudar** *os pais.*

ALAGAR (a-la-*gar*) (*verbo*)

Cobrir, encher de água, inundar:
A chuva **alagou** *o pátio da escola.*

ALARME (a-*lar*-me) (*substantivo*)

Sinal que avisa quando existe algum perigo: *O* **alarme** *do carro disparou e espantou o ladrão.*

ALASTRAR (a-las-*trar*) (*verbo*)

Cobrir: *As ervas daninhas* **alastraram** *a terra e mataram a plantação.*
Espalhar-se: *O fogo* **alastrou-se** *rapidamente.*

ALAVANCA (a-la-*van*-ca) (*substantivo*)

Barra de ferro com que se levantam ou se movem coisas pesadas: *A* **alavanca** *sempre precisa de um ponto de apoio.*

ALBERGUE (al-*ber*-gue) (*substantivo*)

Onde pessoas se abrigam ou onde elas passam as noites: *Muitos mendigos dormem no* **albergue** *noturno.*

ÁLBUM (*ál*-bum) (*substantivo*)

Livro em que se colam retratos ou se guardam lembranças:
Álbum *de família.*

ÁLCOOL (ál-co-ol) (substantivo)

Líquido sem cor, de cheiro forte e que pega fogo facilmente. É retirado principalmente da cana-de-açúcar: *Com* **álcool** *se fazem bebidas, combustíveis, produtos de limpeza.*

ALEGRAR (a-le-grar) (verbo)

Deixar alegre: *Os pais tudo fazem para* **alegrar** *os seus filhos.*

ALEGRE (a-le-gre) (adjetivo)

Contente, satisfeito: *O aluno ficou* **alegre** *porque foi aprovado.*

ALEGRIA (a-le-gri-a) (substantivo)

Grande felicidade, contentamento, estado de quem está feliz, satisfeito: *Na festa de aniversário, era grande a* **alegria** *das crianças.*

ALÉM (a-lém) (advérbio)

Mais adiante, naquele lugar, longe: *A cidade fica* **além** *daqueles montes.*

ALFABETIZAR (al-fa-be-ti-zar) (verbo)

Ensinar a ler e escrever: *A professora* **alfabetiza** *crianças e adultos.*

ALFABETO (al-fa-be-to) (substantivo)

O mesmo que **abecedário** (Veja essa palavra).

Abcdefghijklmnopqrstuvwxyz

ALFAIATE (al-fa-*ia*-te) (*substantivo*)
Pessoa que faz roupas, principalmente de homem: *Atualmente há poucos aprendizes de* **alfaiate**.

ALFINETE (al-fi-*ne*-te) (*substantivo*)
Pequena haste de metal, pontuda de um lado e com uma cabecinha do outro lado: *Os* **alfinetes** *servem para prender peças de roupas*.

ALGARISMO (al-ga-*ris*-mo) (*substantivo*)
Cada um dos sinais com que se representam os números: *Chamam-se* **algarismos arábicos** *os números 0, 1, 2, 3, 4, 5, 6, 7, 8, 9.*

0 1 2 3 4 5 6 7 8 9

ALGAZARRA (al-ga-*zar*-ra) (*substantivo*)
Gritaria, barulho de muita gente falando ao mesmo tempo: *Zangado, o professor ordenou que os alunos parassem com aquela* **algazarra**.

ALGODÃO (al-go-*dão*) (*substantivo*)
Pelo macio que cobre as sementes do algodoeiro: *O* **algodão** *é muito usado para fazer tecidos, curativos, papel e até óleo de cozinha*.

ALI (a-*li*) (*advérbio*)
Naquele lugar: *Nossa escola fica bem* **ali**.

ALIMENTO (a-li-*men*-to) (*substantivo*)
Aquilo que comemos para manter forte o nosso corpo: *Os legumes, verduras e frutas são importantes* **alimentos**.

ALMA (*al*-ma) (*substantivo*)
O que temos que nunca morre e não conseguimos ver. Também pode representar nossas emoções: *As* **almas** *bondosas vão para o céu.*

ALMOÇAR (al-mo-*çar*) (*verbo*)
Comer o **almoço**, que é a segunda refeição do dia: *Já é meio-dia, vamos* **almoçar**.

ALÔ (a-*lô*) (*interjeição*)
Palavra que se usa principalmente para atender ao telefone: **Alô**! *quem fala?*

ALTA (*al*-ta) (*substantivo*)
Licença para sair do hospital: *Pedrinho já está bem, por isso recebeu* **alta**.

ALTERAR (al-te-*rar*) (*verbo*)
Mudar, modificar: *O nervosismo* **alterou** *o tom de voz do cantor.*
Falsificar: *Não se deve* **alterar** *a verdade de um fato.*
Ficar furioso: *Ele se* **alterou** *e xingou o outro.*

ALTO (al-to) (adjetivo)

O que não é baixo: *João é bom no basquete porque é muito* **alto**.
Parte elevada: *A igreja fica lá no* **alto**.

AMAR (a-mar) (verbo)

Querer muito bem, gostar demais: *Quando eu* **amo**, *os outros me* **amam**.

AMBULÂNCIA (am-bu-lân-cia) (substantivo)

Veículo para a condução de doentes e feridos: *A* **ambulância** *toca a sirene para abrir caminho no meio do trânsito.*

AMARELO (a-ma-re-lo)

(adjetivo) Da cor do ouro, da gema do ovo: *Vestido* **amarelo**.
(substantivo) A cor amarela: *O* **amarelo** *é uma das cores da nossa bandeira.*

AMARGO (a-mar-go) (adjetivo)

Que não é doce, que tem gosto desagradável: *Sem açúcar o café fica* **amargo**.
Indelicado, agressivo: *Meu irmão é uma pessoa* **amarga**, *briga com todo mundo.*

AMBIENTE (am-bi-en-te) (substantivo)

Onde vivemos ou onde estamos: *Que bom e feliz é o* **ambiente** *do nosso lar!*

AMEDRONTAR (a-me-dron-*tar*) (*verbo*)
Assustar, meter medo: *O filme de terror* **amedrontou** *a mamãe.*

AMENDOIM (a-men-do-*im*) (*substantivo*)
Semente comestível que se encontra no interior de uma vagem de casca seca, produzida por uma planta que tem o mesmo nome: *Com* **amendoim** *se fazem doces (pé de moleque, paçoca) e óleo para cozinhar.*

AMIGO (a-*mi*-go) (*substantivo*)
Pessoa à qual queremos bem:
O bom **amigo** *é um presente de Deus.*

AMIZADE (a-mi-*za*-de) (*substantivo*)
Sentimento de simpatia por alguém:
As boas **amizades** *são para toda a vida.*

AMOR (a-*mor*) (*substantivo*)
Forte simpatia e admiração por alguém ou alguma coisa:
É feliz a pessoa que dá e recebe **amor**.

ANALFABETO (a-nal-fa-*be*-to)
(*adjetivo*) Que não sabe ler nem escrever: *Pessoa* **analfabeta**.
(*substantivo*) Aquele que não lê nem escreve: *Triste coisa é ser* **analfabeto**.

ANÃO (a-*não*) (*substantivo*)
Pessoa pequenina, bem menor que as outras: *Alice já leu a história de Branca de Neve e os sete* **anões**.

ANCIÃO (an-ci-ão) (*substantivo*)
Homem com muitos anos de idade:
Porque viveu muito, o **ancião** *sabe mais.*

ANDAIME (an-*dai*-me) (*substantivo*)
Armação de madeira ou de ferro,
em cima da qual trabalham os operários
de uma construção: *É preciso cuidado para
não cair do* **andaime**.

ANDAR (an-*dar*) (*verbo*)
Dar passos, caminhar: **Andar** *é bom para a saúde.*
Estar de certo modo: *Ele* **anda** *meio triste.*

ANDORINHA (an-do-*ri*-nha) (*substantivo*)
Ave de penas azul-escuras nas costas
e brancas no peito: *As* **andorinhas** *voam em
bandos a grandes distâncias.*

ANFÍBIO (an-*fi*-bio) (*adjetivo*)
Que vive na terra e na água: *O sapo
e a rã são animais* **anfíbios**.
Existem também plantas **anfíbias**.

ANFITEATRO (an-fi-te-*a*-tro) (*substantivo*)
Sala, quase sempre circular, com palco e arquibancada:
A aula sobre Arte Dramática foi dada no **anfiteatro**
da escola.

31

ANIMAL (a-ni-*mal*) (*substantivo*)

Ser vivo que tem sensibilidade (sente fome, sede, calor, frio, sono) e move-se por si mesmo: *Existem* **animais** *selvagens (o leão, o tigre, a onça) e* **animais** *domésticos (o cão, o gato).*

ANIVERSÁRIO (a-ni-ver-*sá*-rio) (*substantivo*)

Dia em que se faz anos: *O* **aniversário** *de papai é em 15 de junho.*
Dia em que se comemora alguma coisa: *O* **aniversário** *da independência do Brasil é 7 de setembro.*

ANO (*a*-no) (*substantivo*)

Tempo gasto pela Terra (365 dias) para dar uma volta completa ao redor do Sol: *Um* **ano** *tem 12 meses.*

ANÔNIMO (a-*nô*-ni-mo) (*adjetivo*)

Sem nome ou sem assinatura do criador: *Carta* **anônima**.

ANTES (*an*-tes) (*advérbio*)

Em tempo anterior: *Mauro chegou à escola* **antes** *de seus colegas.*
Que se prefere: **Antes** *só do que mal-acompanhado.*

ANTIGO (an-*ti*-go) (*adjetivo*)

De longo tempo, muito velho: *Nos tempos* **antigos** *não havia automóveis nem computadores.*

ANUAL (a-nu-*al*) (*adjetivo*)
Que se faz ou que acontece todos os anos: *Festa* **anual**.
Que dura um ano: *O curso que fiz é* **anual**.

ANÚNCIO (a-*nún*-cio) (*substantivo*)
Notícia que se dá de alguma coisa: *Os* **anúncios** *podem ser falados, escritos, televisionados etc.*

AONDE (a-*on*-de) (*advérbio*)
Para que lugar: **Aonde** *vai você?*

APAGAR (a-pa-*gar*) (*verbo*)
Abafar, extinguir, anular: **Apagar** *o fogo,* **apagar** *a luz,* **apagar** *a lousa.*

APAIXONADO (a-pai-xo-*na*-do) (*adjetivo*)
Que tem grande amor por uma pessoa ou por alguma coisa: *João está* **apaixonado** *por Luísa. Teresa é* **apaixonada** *por música.*

APARELHO (a-pa-*re*-lho) (*substantivo*)
Conjunto de peças com que se executa um trabalho ou se presta um serviço: *O telefone, o televisor, a lavadora de roupas e o ferro são* **aparelhos** *de uso diário.*

APAVORAR (a-pa-vo-*rar*) (*verbo*)
Assustar, aterrorizar: *O vampiro do filme* **apavorou** *o menino.*

APEGADO (a-pe-*ga*-do) (*adjetivo*)

Que se sente ligado a alguém ou a alguma coisa: *Ela é muito* **apegada** *a seus filhos.*

APERTAR (a-per-*tar*) (*verbo*)

Juntar o que está solto: **Apertar** *um parafuso.*
Comprimir: **Apertar** *o botão do elevador.*
Segurar com força: **Apertar** *a mão do outro ao cumprimentá-lo.*

APETITE (a-pe-*ti*-te) (*substantivo*)

Vontade de comer: *Mariazinha está doente, perdeu o* **apetite**.

APLAUSO (a-*plau*-so) (*substantivo*)

Gesto ou palavra de aprovação: *O pianista recebeu* **aplausos** *e pedidos de bis.*

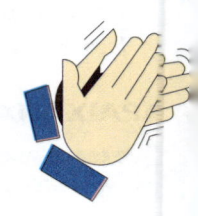

APOSTA (a-*pos*-ta) (*substantivo*)

Combinação entre duas ou mais pessoas para saber quem está certo ou tem razão: **Aposta** *é isto: quem perde, paga; quem ganha, recebe.*

APOSTILA (a-pos-*ti*-la) (*substantivo*)

Reunião de folhas impressas com o resumo ou a exposição de um assunto: *Júlio recebeu sua* **apostila** *de trabalhos manuais.*

APOTEOSE (a-po-te-o-se) (*substantivo*)

Final deslumbrante de uma peça teatral, de um desfile etc.:

Por fim, a escola desfilou numa **apoteose**.
Honras que se prestam a alguém que se distinguiu:
Madre Teresa de Calcutá recebeu uma **apoteose**.

APRENDER (a-pren-*der*) (*verbo*)
Ficar sabendo o que não sabia: *Juliano* **aprendeu** *a lição*.

APRENDIZ (a-pren-*diz*) (*substantivo*)
Pessoa que está aprendendo um ofício, uma arte:
Aprendiz *de barbeiro*, **aprendiz** *de violonista*.

APRESENTAR (a-pre-sen-*tar*) (*verbo*)
Expor, mostrar, exibir: *O pintor* **apresentou** *os seus quadros*.
Tornar uma pessoa conhecida de outra ou outras:
Vou **apresentar** *minha noiva a você*.

APRESSAR (a-pres-*sar*) (*verbo*)
Mandar que a pessoa faça mais depressa: **Apressem** *as respostas, o exame já vai terminar!*

APRISIONAR (a-pri-sio-*nar*) (*verbo*)
Prender, pôr em prisão:
O ladrão tentou fugir, mas o policial o **aprisionou**.

APROVAR (a-pro-*var*) (*verbo*)
Considerar bom, aplaudir: *Ninguém* **aprovou** *o que ele fez.*
Achar em condições para passar de ano: *O professor* **aprovou** *quase todos os alunos.*

APROXIMAR (a-pro-xi-*mar*) (*verbo*)
Pôr perto, chegar perto: *O mendigo* **aproximou-se** *do homem e pediu-lhe dinheiro.*

AQUARELA (a-qua-*re*-la) (*substantivo*)
Tinta desmanchada em água: *Pinta-se a* **aquarela** *em papel ou em cartão.*

AQUÁRIO (a-*quá*-rio) (*substantivo*)
Reservatório de vidro, cheio de água, onde se conservam peixes e plantas: *A água dos* **aquários** *deve ser trocada no tempo certo.*

AQUECER (a-que-*cer*) (*verbo*)
Esquentar: *Ele aproximou as mãos do fogo para* **aquecê-las**.

AQUI (a-*qui*) (*advérbio*)
Neste lugar: *Vive-se bem* **aqui**.
Para este lugar: *Venha* **aqui**.

ARADO (a-*ra*-do) (*substantivo*)
Instrumento com que se revolve a terra: *O* **arado** *prepara a terra para receber as sementes.*

ARANHA (a-*ra*-nha) (*substantivo*)
Aracnídeo sem asas nem antenas,
com oito pernas e oito olhos:
A mosca ficou presa na teia de **aranha**.

ARAPUCA (a-ra-*pu*-ca) (*substantivo*)
Armadilha: *O coelhinho caiu na* **arapuca**.

ARBORIZAR (ar-bo-ri-z*ar*) (*verbo*)
Plantar árvores em algum lugar: *A prefeitura* **arborizou**
a rua onde moro.

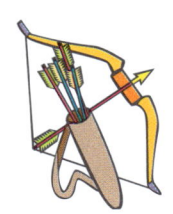

ARCO (*ar*-co) (*substantivo*)
Parte de uma curva ou de um círculo:
O **arco** *colorido que surge no céu é o* **arco**-*íris*.
Vara presa nas extremidades por um cordão
bem esticado e por meio da qual se atiram
flechas: *O* **arco** *e a flecha eram as armas dos
índios*.

ARCO-ÍRIS (*ar*-co-*í*-ris) (*substantivo*)
Arco de luz que aparece no céu, produzido
por pequenas gotas de água suspensas no ar:
O **arco-íris** *tem sete cores: vermelho,
alaranjado, amarelo, verde, azul, anil e violeta*.

ÁREA (*á*-rea) (*substantivo*)
Espaço aberto no interior de uma construção:
As crianças brincam na **área** *de lazer*.

AREIA (a-*rei*-a) (*substantivo*)
Pequeninos grãos, fofos e macios, que se juntam nas praias e no fundo dos rios: *Em Santos, Pedrinho joga futebol na* **areia**.

ARGILA (ar-*gi*-la) (*substantivo*)
Barro muito fino que se mistura com água: *Na aula de artesanato Juquinha fez uma estatueta de* **argila**.

ARMADILHA (ar-ma-*di*-lha) (*substantivo*)
Artifício ou objeto para apanhar caça: *O pássaro ficou preso na* **armadilha**.

ARMAZÉM (ar-ma-*zém*) (*substantivo*)
Lugar no qual se guardam mercadorias para serem conservadas ou vendidas: *Zezé compra de tudo no* **armazém** *da esquina*.

AROMA (a-*ro*-ma) (*substantivo*)
Cheiro, perfume: *As flores têm* **aroma** *agradável*.

ARQUIBANCADA (ar-qui-ban-*ca*-da) (*substantivo*)
Reunião de bancos compridos e enfileirados, cada um mais elevado que o outro, parecendo uma estrutura de escada. *Quando vai ao estádio, Jorginho prefere ficar na* **arquibancada**.

ARQUITETURA (ar-qui-te-*tu*-ra) (*substantivo*)
Arte de construir edifícios, casas, clubes, escolas e até cidades inteiras: *A* **arquitetura** *de Brasília é uma das mais modernas do mundo*.

ARQUIVO (ar-*qui*-vo) (*substantivo*)

Lugar em que se guardam documentos: *O nome e endereço dos alunos estão no* **arquivo** *da escola.*

ARRASAR (ar-ra-*sar*) (*verbo*)
Destruir: *A tempestade* **arrasou** *o pomar.*

ARREBENTAR (ar-re-ben-*tar*) (*verbo*)
Quebrar violentamente: *A corda sempre* **arrebenta** *do lado mais fraco.*

ARREGALAR (ar-re-ga-*lar*) (*verbo*)
Abrir muito (os olhos): *Espantado, ele* **arregalou** *os olhos.*

ARREPENDER(-SE) (ar-re-pen-*der*) (*verbo*)
Desejar não ter cometido alguma ação:
Marta **arrependeu-se** *da má palavra e pediu perdão à mãe.*

ARROZ (ar-*roz*) (*substantivo*)
Planta que produz grãos branquinhos e lisos, usados na alimentação: *Ari gosta de feijão com* **arroz**.

ARTE (*ar*-te) (*substantivo*)
Conjunto de regras ou meios para se fazer qualquer coisa com beleza: *As* **artes** *maiores são a Música, a Pintura, a Escultura, a Poesia, a Dança, o Teatro e a Arquitetura.*

ARTESÃO (ar-te-*são*) (*substantivo*)
Pessoa que faz trabalhos artísticos usando apenas as mãos: *Trabalhando a argila, o* **artesão** *fez um lindo vaso.*

ARTIFICIAL (ar-ti-fi-ci-*al*) (adjetivo)
Que não é natural: *As flores* **artificiais** *são feitas de plástico.*

ARTIGO (ar-*ti*-go) (substantivo)
Mercadoria: *Os livros são* **artigos** *preciosos.*
Divisão de lei, de código: *Os* **artigos** *do Código Civil.*
Escrito de jornal ou revista: *Pedro leu um bom* **artigo** *sobre educação.*
Na gramática, palavra que indica o gênero e o número do substantivo: **O** *livro,* **as** *bolas.*

ARTISTA (ar-*tis*-ta) (substantivo)
Pessoa que cultiva, que se dedica à arte: *São* **artistas** *os pintores, os compositores, os cantores, os atores, os bailarinos.*

ÁRVORE (*ár*-vo-re) (substantivo)
Vegetal de tronco longo, no topo do qual crescem os ramos e as folhas: *Com a parte da* **árvore** *chamada celulose fabrica-se o papel.*

ASA (*a*-sa) (substantivo)
Membro das aves, coberto de penas: *Para voar, as aves batem as* **asas**.
Parte de certos objetos, que serve para pegar neles: *A* **asa** *da xícara.*
Parte dos aviões: *As* **asas** *dos aviões é que os sustentam no ar.*

ASPIRAR (as-pi-*rar*) (*verbo*)
Puxar o ar para dentro dos pulmões:
*Faz mal **aspirar** ar poluído.*

> **ASSADO** (as-*sa*-do)
> (*adjetivo*) Que se pôs no fogo ou no calor para assar: *Letícia adora carne **assada**.*
> (*substantivo*) Pedaço de carne cozida ao fogo ou no forno: *O **assado** está pronto.*

ASSALARIADO (as-sa-la-ri-*a*-do) (*adjetivo*)
Que recebe salário pelo trabalho que faz:
*Os operários da fábrica são **assalariados**.*

ASSALTO (as-*sal*-to) (*substantivo*)
Ataque para roubar: *Meu irmão foi vítima de um **assalto**, mas não reagiu.*

ASSEADO (as-se-*a*-do) (*adjetivo*)
Limpo: *Alice é uma menina muito **asseada**.*

ASSINAR (as-si-*nar*) (*verbo*)
Pôr o próprio nome num documento, numa carta, num boletim: *O funcionário disse ao papai: **assine** aqui.*

ASSOBIO (as-so-*bi*-o) (*substantivo*)
Som que se produz com os lábios apertados, com a língua entre os dentes ou com dois dedos na boca: *Ouve-se ao longe o **assobio** do Antônio.*
Som agudo: *O **assobio** do vento.*

ASTRO (*as*-tro) (*substantivo*)

Corpo celeste: *São* **astros** *o Sol, as estrelas, os cometas.*
Artista de cinema, de televisão: *Ele é um* **astro** *da tevê.*

ASTRONAUTA (as-tro-*nau*-ta) (*substantivo*)

Pessoa que viaja em nave espacial: *O primeiro* **astronauta** *que pisou na Lua foi Neil Armstrong.*

ASTRONOMIA (as-tro-no-*mi*-a) (*substantivo*)

Ciência que estuda os astros, sua localização, movimento e origem: *Quem estuda* **astronomia** *é astrônomo.*

ATA (*a*-ta) (*substantivo*)

Livro em que se anota tudo o que se diz numa reunião: *Meu pai assinou a* **ata** *de fundação do clube.*

ATALHO (a-*ta*-lho) (*substantivo*)

Caminho fora da estrada, para encurtar distância: *Para chegar mais depressa, pegamos um* **atalho**.

ATAREFADO (a-ta-re-*fa*-do) (*adjetivo*)

Muito ocupado: *Ele não pôde me atender porque estava* **atarefado**.

ATENCIOSO (a-ten-ci-o-so) (*adjetivo*)
Que presta atenção: *Aluno* **atencioso**.
Delicado, amável, gentil: *Seja* **atencioso** *com seus colegas.*

ATERRISSAR (a-ter-ris-sar) (*verbo*)
Pousar, descer: *O avião* **aterrissou** *no aeroporto da cidade.*

ATINGIR (a-tin-gir) (*verbo*)
Tocar, alcançar, acertar: *O tiro* **atingiu** *o alvo.*

ATLETA (a-tle-ta) (*substantivo*)
Pessoa que pratica esportes: *Muitos* **atletas** *brasileiros são campeões do mundo.*

ATMOSFERA (at-mos-fe-ra) (*substantivo*)
Camada de ar que envolve a Terra: *A* **atmosfera** *é composta de hidrogênio, oxigênio e outros gases.*

ATOR (a-tor) (*substantivo*)
Artista que trabalha em teatro, cinema, televisão: *O feminino de* **ator** *é atriz.*

ATRAÇÃO (a-tra-ção) (*substantivo*)
Força que puxa para si: *O Sol exerce* **atração** *sobre os planetas do Sistema Solar.*
Forte simpatia: *Ele não resistiu à* **atração** *da moça e apaixonou-se.*

ATUAL (a-tu-*al*) (*adjetivo*)
Do tempo presente, do nosso tempo: *A situação* **atual** *do nosso país é difícil.*

AUDIÇÃO (au-di-*ção*) (*substantivo*)
Percepção dos sons pelos ouvidos: *A* **audição** *é um dos cinco sentidos; os outros são a visão, o olfato, o paladar e o tato.*

AUMENTAR (au-men-*tar*) (*verbo*)
Tornar maior: *Papai disse que vão* **aumentar** *o salário dele.*

AUSENTE (au-*sen*-te) (*adjetivo*)
Que se encontra longe de onde estamos: *Temos muita saudade dos amigos* **ausentes**.

AUTOMÓVEL (au-to-*mó*-vel) (*substantivo*)
Veículo para transportar pessoas e cargas: *Os* **automóveis** *são movidos a motor de explosão.*

AUTOR (au-*tor*) (*substantivo*)
Pessoa que cria ou inventa alguma coisa: *O escritor, o compositor, o inventor são* **autores**.

AUXILIAR (au-xi-li-*ar*) (*verbo*)
Ajudar, socorrer: *Meu irmão me* **auxiliou** *na arrumação do quarto.*

AVE (*a*-ve) (*substantivo*)
Animal coberto de penas, com dois pés, duas asas e um bico: *Pedrinho não sabia que a galinha é uma* **ave**.

AVENTAL (a-ven-*tal*) (*substantivo*)
Peça que se veste sobre a roupa para não sujá-la: *O professor usa* **avental** *para não sujar a roupa com tinta e pó de giz.*

AVESTRUZ (a-ves-*truz*) (*substantivo*)
Ave de pescoço comprido e sem penas: *O* **avestruz** *não voa, mas corre muito.*

AVIAÇÃO (a-vi-a-*ção*) (*substantivo*)
Transporte em aparelhos mais pesados do que o ar: *A 23 de outubro comemora-se o Dia da* **Aviação**.

AVIÃO (a-vi-*ão*) (*substantivo*)
Aparelho de transporte aéreo de pessoas e cargas: *O* **avião** *foi inventado pelo brasileiro Alberto Santos Dumont.*

AVIADOR (a-via-*dor*) (*substantivo*)
Aquele que dirige o avião: *O* **aviador** *também é chamado piloto.*

AVISAR (a-vi-*sar*) (*verbo*)
Informar: *O professor **avisou** o dia da prova final.*

AVISTAR (a-vis-*tar*) (*verbo*)
Ver ao longe: *Do avião já se **avistava** a cidade de São Paulo.*

AVÔ (a-*vô*) (*substantivo*)
Pai do nosso pai: avô paterno;
e pai da nossa mãe: avô materno:
*Dizem que o **avô** é duas vezes pai.*
O feminino de avô é avó.

AZEITE (a-zei-te) (*substantivo*)
Óleo que se tira da azeitona:
*O **azeite** também se chama óleo de oliva.*

AZEITONA (a-zei-*to*-na) (*substantivo*)
Fruto da árvore chamada oliveira:
*Julinho disse à mãe que o irmão atirou nele um caroço de **azeitona**.*

AZUL (a-*zul*) (*adjetivo*)
Cor do céu sem nuvens e do mar sereno:
*O **azul** cor do céu é o **azul**-celeste; a cor do mar é o **azul**-marinho.*

Bb

B (*substantivo*)

Segunda letra do abecedário ou alfabeto. Pode ser maiúsculo: B, ou minúsculo: b. O **b** é uma consoante (Veja essa palavra).

BABÁ (ba-*bá*) (*substantivo*)
Mulher que toma conta de crianças: *Quando viajou, dona Júlia deixou as crianças com a* **babá**.

BACALHAU (ba-ca-*lhau*) (*substantivo*)
Peixe dos mares frios: *A carne do* **bacalhau**, *seca e salgada, é muito usada em culinária portuguesa.*

BAGAGEM (ba-ga-*gem*) (*substantivo*)
Conjunto de malas e objetos que as pessoas carregam quando viajam: *O viajante levou muita* **bagagem**.

BAGUNÇA (ba-*gun*-ça) (*substantivo*)
Desordem, confusão, desarrumação: *Menino que faz* **bagunça** *é bagunceiro.*

BAÍA (ba-*í*-a) (*substantivo*)

Pequeno golfo de abertura muito estreita: *Uma das belezas do Rio de Janeiro é a* **baía** *da Guanabara.*

BAILE (*bai*-le) (*substantivo*)

Reunião de pessoas para dançar: *Pedro não foi ao* **baile** *de formatura.*

BAIXO (*bai*-xo)

(*adjetivo*) Que não é alto: *A pessoa muito* **baixa** *é baixinha.*

(*advérbio*) Em voz baixa: *Fale mais alto, você está falando muito* **baixo**.

BALA (*ba*-la) (*substantivo*)

Pedacinho de chumbo, de aço, arremessado por arma de fogo: **Bala** de revólver. Pedacinho de açúcar e essências de frutas, endurecido: *Chupar muita* **bala** *prejudica os dentes.*

BALANÇA (ba-*lan*-ça) (*substantivo*)

Instrumento para medir o peso das coisas: *As* **balanças** *modernas são elétricas, pesam com maior exatidão.*

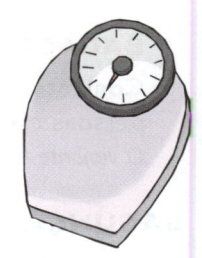

BALANÇAR (ba-lan-*çar*) (*verbo*)

Mover para um e outro lado: *A brisa* **balança** *a bandeira.*

BALEIA (ba-*lei*-a) (*substantivo*)

Grande mamífero, o maior de todos os animais: *A* **baleia** *chega a medir 36 metros de comprimento, pesa até 150 toneladas e pode atingir 100 anos de idade.*

BALNEÁRIO (bal-ne-*á*-rio) (*substantivo*)

Lugar em que se tomam banhos medicinais: *Pedrinho esteve com a família no* **balneário** *de Águas de Lindoia.*

BALSA (*bal*-sa) (*substantivo*)

Jangada grande que se usa para a travessia de rios e mares: *As* **balsas** *levam cargas, automóveis e pessoas.*

BANANA (ba-*na*-na) (*substantivo*)

Fruto da bananeira: *Existem muitas espécies de* **banana**: *a nanica, a maçã, a ouro, a prata.*

BANCO (*ban*-co) (*substantivo*)

Móvel, com encosto ou sem ele, que serve para as pessoas se assentarem: *Os* **bancos** *dos jardins, das igrejas, das escolas etc.*
Estabelecimento onde se guarda, se recebe e se empresta dinheiro: *O cheque é o documento mais comum nos* **bancos**.

BANDEIRA (ban-*dei*-ra) (*substantivo*)

Pedaço de pano colorido ou com símbolos que representa um país, um estado, um partido político etc.: *Verde, amarelo, azul e branco são as cores da* **Bandeira** *Nacional.*

BANDO (*ban*-do) (*substantivo*)

Grupo de pessoas ou animais: *Os elefantes andam em* **bando**.
Quadrilha de bandidos: *Um* **bando** *de ladrões assaltou o banco.*

BANHO (*ba*-nho) (*substantivo*)

Ação que realizamos para nos lavar: **Banho** *de chuveiro,* **banho** *de banheira*; para nos refrescar ou praticar esporte: **banho** *de piscina,* **banho** *de mar.*

BANQUETE (ban-*que*-te) (*substantivo*)

Refeição festiva, com muita comida e bebida, em que tomam parte muitas pessoas: *Nos* **banquetes** *sempre alguém faz um discurso.*

BARATA (ba-*ra*-ta) (*substantivo*)

Inseto noturno, com antenas compridas, às vezes asas, e que se encontra nas casas do mundo inteiro: *As* **baratas** *são pragas que incomodam e causam nojo.*

BARATO (ba-*ra*-to) (*adjetivo*)
De preço baixo, que se consegue com facilidade. Dizemos: *artigo* **barato**, *brinquedo* **barato**, mas nunca "preço" **barato**.

BARCO (*bar*-co) (*substantivo*)
Embarcação: *Os navios, os iates, os rebocadores, as balsas, todos são* **barcos**.

BATATA (ba-*ta*-ta) (*substantivo*)
Tubérculo comestível que se pode comer de formas variadas.
Quem não gosta de **batatas** *fritas?*

BATER (ba-*ter*) (*verbo*)
Dar pancadas: *Os pais não devem* **bater** *nos filhos.*
Derrotar: *Na corrida dos cem metros, Joãozinho* **bateu** *os colegas.*
Soar: *Já* **bateram** *as doze badaladas do meio-dia.*
Chocar-se, ir de encontro: *O carro* **bateu** *na bicicleta.*
Fotografar: **Bater** *uma foto.*

BAÚ (ba-*ú*) (*substantivo*)
Caixa grande com tampa: *Os* **baús** *são de couro ou de madeira.*

BAZAR (ba-*zar*) (*substantivo*)
Loja na qual se vendem coisas de todo tipo:
Comprei material escolar num **bazar** *de minha rua.*

BEBÊ (be-*bê*) (*substantivo*)
Criança de peito: *Julinha é um* **bebê**, *ainda mama.*

BEBER (be-*ber*) (*verbo*)
Ingerir líquidos: *Vou* **beber** *um pouco d'água.*
Embriagar-se: *Ele caiu de tanto* **beber**.

BELEZA (be-*le*-za) (*substantivo*)
Tudo o que é bonito, lindo: *O dia está uma* **beleza**.

BELO (be-lo) (*adjetivo*)
Em que existe beleza: *Uma* **bela** *mulher.*
Muito bom: *Apartar a briga foi um* **belo** *gesto daquele menino.*

BÊNÇÃO (*bên*-ção) (*substantivo*)
Benzer ou abençoar: *Deus te abençoe quer dizer "Deus te dê a* **bênção**, *Deus te favoreça".*

BENEFICENTE (be-ne-fi-*cen*-te) (*adjetivo*)
Que auxilia, que faz caridade: *Hospital* **beneficente**.

BENEFICIAR (be-ne-fi-ci-*ar*) (*verbo*)
Dar benefícios, ajudar: *A linha de ônibus vai* **beneficiar** *muitos moradores.*

BERÇO (*ber*-ço) (*substantivo*)
Cama de criança, principalmente de bebê. Alguns berços podem ser balançados: *Com o* **berço** *se embala o bebê.*

BEZERRO (be-zer-ro) (*substantivo*)
O filhote da vaca: *O* **bezerro** *berrava porque queria mamar.*

BIBLIOTECA (bi-bli-o-*te*-ca) (*substantivo*)
Onde se guardam e se conservam livros para leitura, pesquisa, estudo: **Biblioteca** *Municipal.*

BICICLETA (bi-ci-*cle*-ta) (*substantivo*)
Veículo de duas rodas, dois pedais, um guidom e um selim: *Quem anda de* **bicicleta** *é ciclista.*

BICO (*bi*-co) (*substantivo*)
Parte dura e pontuda da boca das aves: *Com o* **bico** *o passarinho dá bicadas.*

BIOGRAFIA (bio-gra-*fi*-a) (*substantivo*)
História da vida de uma pessoa: *Pedrinho leu a* **biografia** *do escritor Monteiro Lobato.*

BISAVÔ (bi-sa-*vô*) (*substantivo*)
Pai do nosso avô: **bisavô** *paterno;* ou pai da nossa avó: **bisavô** *materno: O feminino de* **bisavô** *é bisavó.*

BISSEXTO (bis-*sex*-to) (*adjetivo*)
Nome do ano que tem 366 dias: *No ano* **bissexto** *o mês de fevereiro tem 29 dias, e isso acontece de quatro em quatro anos.*

BOCA (bo-ca) (substantivo)
Abertura no rosto das pessoas e dos animais: *Pela **boca** se levam os alimentos para dentro do corpo.*

BOCARRA (bo-car-ra) (substantivo)
Boca muito grande: *Dois animais que têm **bocarra**: o crocodilo e o jacaré.*

BOIA (boi-a) (substantivo)
Objeto que não afunda na água: *Juliano usa uma **boia** para aprender a nadar.*

BOIADA (boi-a-da) (substantivo)
Reunião de muitos bois: *A **boiada** é uma manada de bois.*

BOLA (bo-la) (substantivo)
Objeto redondo, de couro ou de plástico, cheio de ar: *Com a **bola** se joga futebol.*

BOM (adjetivo)
Que tem bondade: *Meu pai é um homem **bom**.*
Com condições favoráveis: *Tempo **bom**.*
Que dá lucro: *Fiz um **bom** negócio.*
Competente: *Ele é um **bom** escritor.*

BOMBEIRO (bom-bei-ro) (substantivo)
Soldado que apaga incêndios e salva pessoas que estão em perigo: *Os **bombeiros** também são chamados soldados do fogo.*

BONDADE (bon-*da*-de) (*substantivo*)
Sentimento de quem é bom: *Ao ajudar o colega, Júlio mostrou* **bondade**.

BONITO (bo-*ni*-to) (*adjetivo*)
Que tem beleza: *Luciana é uma menina* **bonita**.

BOTA (*bo*-ta) (*substantivo*)
Calçado de couro que cobre o pé e parte da perna: *Os soldados calçam* **botas**.

BOTÃO (bo-*tão*) (*substantivo*)
Peça arredondada para fechar ou enfeitar roupas: *Júlia não sabe pregar* **botões**.

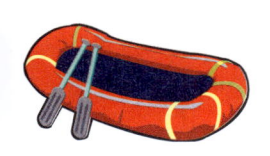

BOTE (*bo*-te) (*substantivo*)
Pequena embarcação: *O* **bote** *é movido a remos*.
Salto de um animal: *A cobra deu um* **bote** *e pegou o passarinho*.

BOVINO (bo-*vi*-no) (*adjetivo*)
Do boi: *Carne* **bovina**.

BRAÇO (*bra*-ço) (*substantivo*)
Membro superior do corpo: *O* **braço** *vai do ombro até a mão*.

BRASA (bra-sa) (substantivo)
Pedaço de carvão que não se apagou: *O churrasco é assado na* **brasa**.

BRAVIO (bra-vi-o) (adjetivo)
Bravo, feroz: *Animal* **bravio**.

BRAVO (bra-vo)
(adjetivo) Corajoso, valente: *Os índios eram* **bravos** *guerreiros*.
Bravio, feroz: *Fique longe de cão* **bravo**.
(interjeição) Muito bem!: *Todos gritaram para o artista*: **bravo**!

BRAVURA (bra-vu-ra) (substantivo)
Valentia, coragem: *O atleta venceu pela sua* **bravura**.

BRILHO (bri-lho) (substantivo)
Luz muito viva: *O* **brilho** *das estrelas*.
Glória, destaque: *Luís passou de ano com muito* **brilho**.

BRISA (bri-sa) (substantivo)
Vento fresquinho que sopra devagar: *A* **brisa** *balançava as folhas da palmeira*.

BROTAR (bro-tar) (verbo)
Desabrochar, nascer: *Na primavera as flores* **brotam** *e enfeitam as árvores*.

BRUXA (bru-xa) (*substantivo*)

Mulher maldosa das histórias infantis: *A* **bruxa** *tem poderes mágicos, mas só de brincadeira.*

BULE (bu-le) (*substantivo*)

Vaso com asa e bico, para servir chá, café, leite: *O* **bule** *é uma peça do aparelho de chá.*

BURRO (bur-ro) (*substantivo*)

Animal de quatro pés, menor que o cavalo, e de orelhas grandes: *O pai do* **burro** *é o jumento; a mãe é a égua.*

BÚSSOLA (bús-so-la) (*substantivo*)

Instrumento que indica o rumo aos navegantes: *A* **bússola** *tem um mostrador, como o dos relógios, e um ponteiro que se move sobre uma rosa dos ventos* (veja essa palavra).

BUZINA (bu-zi-na) (*substantivo*)

Instrumento que produz som alto para chamar a atenção: *O motorista tocou a* **buzina** *para pedir passagem.*

Cc

C (*substantivo*)
Terceira letra do abecedário ou alfabeto.
Pode ser maiúsculo: C, ou minúsculo: c.
O **c** é uma consoante (Veja essa palavra).

CABANA (ca-ba-na) (*substantivo*)
Casa pequena e muito simples: *Quem mora em **cabana** é gente muito simples.*

CABEÇA (ca-*be*-ça) (*substantivo*)
Uma das três partes em que se divide o corpo humano.
As outras duas são o tronco e os membros: *Cuidado para não bater a **cabeça**.*

CABELO (ca-*be*-lo) (*substantivo*)
Fio que nasce na cabeça das pessoas: *Os **cabelos** podem ser lisos ou crespos, pretos, castanhos, louros e, na velhice, brancos.*

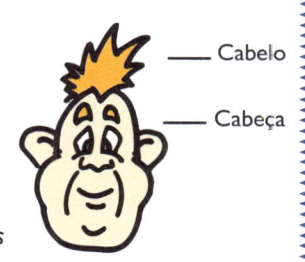

CABRA (ca-bra) (substantivo)
Animal mamífero, fêmea do bode:
A **cabra** tem chifres grossos.

CAÇAR (ca-çar) (verbo)
Perseguir animais para apanhá-los ou matá-los:
Pessoas de bom coração não gostam de **caçar**.

CACAU (ca-cau) (substantivo)
Fruto do cacaueiro: Das sementes do **cacau**
é que se faz o chocolate.

CACHORRO (ca-chor-ro) (substantivo)
Animal mamífero; também chamado cão:
O **cachorro** late quando está alegre.

CAFÉ (ca-fé) (substantivo)
Semente do cafeeiro, que se
torra e se transforma em
pó para fazer a bebida
do mesmo nome: **café**.

CAIR (ca-ir) (verbo)
Ir ao chão: O livro **caiu** de
cima da mesa.
Vir abaixo: Corra, que a chuva
já vai **cair**.

CALCULAR (cal-cu-*lar*) (*verbo*)

Fazer cálculos, ou contas, para achar a solução de um problema:
Calcule *quantas pernas têm dez bois.*

CALENDÁRIO (ca-len-*dá*-rio) (*substantivo*)

Método utilizado para indicar os dias, semanas e meses do ano: *Nos* **calendários** *os domingos e feriados são escritos em cores vivas.*

CALIGRAFIA (ca-li-gra-*fi*-a) (*substantivo*)

Arte de escrever de modo claro e bonito: *Todos admiram a* **caligrafia** *de Joãozinho.*

Caligrafia

CALOR (ca-*lor*) (*substantivo*)

Tempo quente: *No* **calor** *é gostoso ir à praia.*
Sensação que a pessoa tem junto de uma coisa quente: *O* **calor** *do fogo está muito forte.*

CAMALEÃO (ca-ma-le-*ão*) (*substantivo*)

Réptil de corpo comprido, olhos saltados e língua comprida: *O* **camaleão** *muda de cor para se esconder dos animais que querem comê-lo.*

CAMELO (ca-*me*-lo) (*substantivo*)
Animal mamífero de quatro patas e duas saliências nas costas, chamadas corcovas: *Os* **camelos** *podem ficar muitos dias sem beber água.*

CAMINHÃO (ca-mi-*nhão*) (*substantivo*)
Veículo para transportar cargas: *Quem dirige o* **caminhão** *é o caminhoneiro.*

CAMINHO (ca-*mi*-nho) (*substantivo*)
Faixa estreita de terreno por onde se vai de um lugar a outros: *Este é o melhor* **caminho**.
Direção, rumo: *Pedro é estudioso, está no bom* **caminho**.

CAMISA (ca-*mi*-sa) (*substantivo*)
Peça de roupa, de mangas curtas ou compridas, colarinho e botões: *Papai tem uma* **camisa** *de linho.*

CAMPAINHA (cam-pa-*i*-nha) (*substantivo*)
Aparelho que produz som alto e fino para chamar ou avisar alguém: *Ao toque da* **campainha**, *os alunos foram para o recreio.*

CAMPO (*cam*-po) (*substantivo*)

Terreno grande, fora da cidade: *Meu pai comprou uma casa no **campo***.
Terreno onde se pratica esporte: ***Campo** de futebol*.

CANA (*ca*-na) (*substantivo*)

Planta com caule em forma de bambu e folhas longas: *Da **cana**-de-açúcar (o nome já diz) é que se tira o açúcar*.

CANCELAR (can-ce-*lar*) (*verbo*)

Riscar, anular, tornar sem efeito: *Por causa da forte chuva, o jogo foi **cancelado***.

CANGURU (can-gu-*ru*) (*substantivo*)

Animal mamífero que salta apoiado nas grandes pernas traseiras e leva o filhote numa bolsa que tem na barriga: *Os **cangurus** vivem na Austrália*.

CANOA (ca-*no*-a) (*substantivo*)

Barco pequeno feito de madeira e movido a remos: *A **canoa** furou e foi ao fundo do rio*.

CANSAR (can-*sar*) (*verbo*)

Deixar sem forças: *Você vai se **cansar** de tanto correr*.

CANTO (*can*-to) (*substantivo*)

Lugar afastado: *Fique lá no **canto** da sala*.
Extremidade: *O **canto** dos olhos, da boca, da mesa etc*.
Som produzido pelo homem ou pelo animal: *O **canto** do passarinho*.

CAPA (*ca*-pa) (*substantivo*)
Agasalho que se veste sobre a roupa para abrigar da chuva ou do frio: *Tenho uma* **capa** *de couro.*
Cobertura de papel ou cartão: **Capa** *do caderno,* **capa** *do livro.*

CAPRICHAR (ca-pri-*char*) (*verbo*)
Realizar alguma coisa com cuidado e atenção: *Luís* **caprichou** *na redação da carta.*

CARA (*ca*-ra) (*substantivo*)
Rosto: *Joana tem uma* **cara** *muito bonita.*
Jeito, aparência: *Não fique de* **cara** *feia, dê um sorriso.*

CARACOL (ca-ra-*col*) (*substantivo*)
Animal invertebrado que vive dentro de uma concha: *Na praia acham-se muitos* **caracóis**.

CARAMELO (ca-ra-*me*-lo) (*substantivo*)
Calda de açúcar queimado: *Usa-se a calda de* **caramelo** *para cobrir doces e fazer balas.*

CARAVANA (ca-ra-*va*-na) (*substantivo*)
Reunião de pessoas que viajam juntas: *A* **caravana** *de estudantes foi passear em Brasília.*

CARAVELA (ca-ra-*ve*-la) (*substantivo*)

Antiga embarcação movida a vento e com três mastros: *Cristóvão Colombo descobriu a América com três* **caravelas**: *Santa Maria, Pinta e Niña.*

CARDÁPIO (car-*dá*-pio) (*substantivo*)

Relação dos pratos de um restaurante, também chamada menu: *Antônio consultou o* **cardápio** *e pediu bife com batatas fritas.*

CARECER (ca-re-*cer*) (*verbo*)

Não ter alguma coisa: *O idoso desamparado* **carece** *de atenção e carinho.*

CARIDADE (ca-ri-*da*-de) (*substantivo*)

Virtude de bondade e amor aos outros: *É* **caridade** *dar de comer a quem tem fome.*

CARINHO (ca-*ri*-nho) (*substantivo*)

Afeição, dedicação, amor: *Tenho muito* **carinho** *por papai e mamãe.*

CARNAVAL (car-na-*val*) (*substantivo*)

Festa que dura três dias e termina na Quarta-feira de Cinzas: *No baile de* **carnaval** *todos usam fantasias.*

CARNE (*car*-ne) (*substantivo*)

Tecido muscular dos seres humanos e dos animais: *Quem se alimenta de* **carne** *é carnívoro.*

CARO (*ca-*ro) (*adjetivo*)
De alto preço: *Automóvel* **caro**.
Muito querido: *O professor começou o discurso assim: Meus* **caros** *alunos!*

CARRO (*car*-ro) (*substantivo*) veículo de rodas para transporte de passageiros ou cargas.
Comprei um **carro** novo!

CARTA (*car*-ta) (*substantivo*)
Mensagem escrita que se coloca num envelope e se manda ao destinatário pelos correios:
Destinatário é quem recebe a **carta**; *remetente é quem a envia.*

CASA (*ca*-sa) (*substantivo*)
Construção em que moram pessoas:
Minha **casa** *é o meu lar.*
Estabelecimento comercial: **Casa** *lotérica*.

CASAL (ca-*sal*) (*substantivo*)
Par composto de homem (marido) e mulher (esposa):
O **casal** *e seus filhos compõem a família.*
Par de animais, macho e fêmea: **Casal** *de macacos*.

CASCATA (cas-*ca*-ta) (*substantivo*)
Queda d'água: *Na* **cascata** *a água cai por entre pedras e rochedos.*

CASEBRE (ca-se-bre) (*substantivo*)
Casa em ruínas ou muito pequena e pobre:
No **casebre** *não há luxo.*

CASTELO (cas-te-lo) (*substantivo*)
Morada de família nobre: *Os **castelos** eram cercados de grandes muros, tinham pontes levadiças, torres etc.*

CAULE (cau-le) (*substantivo*)
Parte da planta de onde nascem as folhas: *Também pelo **caule** a planta recebe os alimentos que a sustentam.*

CAVALGAR (ca-val-gar) (*verbo*)
Andar a cavalo: *Pedrinho logo aprendeu a **cavalgar**.*

CAVALO (ca-va-lo) (*substantivo*)
Animal de quatro patas com um casco em cada uma delas: *A fêmea do **cavalo** é a égua.*

CAVAR (ca-var) (*verbo*)
Remexer a terra: ***Cava-se** a terra para plantar as sementes.*
Abrir um buraco: ***Cavaram** um buraco na rua onde moro.*

CAVERNA (ca-ver-na) (*substantivo*)
Buraco grande no interior da terra: *A **caverna** também se chama gruta.*

CEGO (ce-go) (*adjetivo*)
Que não vê, que perdeu a visão ou nasceu sem ela: *Um **cego** não pode guiar outro **cego**.*

CEGONHA (ce-*go*-nha) (*substantivo*)
Grande ave de pernas compridas: As **cegonhas** *voam a longas distâncias.*

CEIA (*cei*-a) (*substantivo*)
Última refeição da noite, que se toma antes de deitar: *Na noite de 24 de dezembro nossa família se reúne para a* **ceia** *do Natal.*

CEMITÉRIO (ce-mi-*té*-rio) (*substantivo*)
Terreno onde se enterram os mortos: *Muitas pessoas visitam os* **cemitérios** *no Dia de Finados.*

CENÁRIO (ce-*ná*-rio) (*substantivo*)
Montagem de ambiente específico para representação de espetáculo: *O* **cenário** *representava uma cidade do interior.*

CENOURA (ce-*nou*-ra) (*substantivo*)
Raiz comestível da planta também chamada **cenoura**. Come-se cozida ou crua: *Os coelhinhos adoram* **cenoura**.

CERÂMICA (ce-*râ*-mi-ca) (*substantivo*)
Fabricação de objetos de argila cozida: *Quem trabalha em* **cerâmica** *é ceramista.*

CEREAL (ce-re-*al*) (*substantivo*)

Planta de sementes ou grãos comestíveis: *O arroz, o trigo, a ervilha, a aveia são* **cereais**.

CÉREBRO (cé-re-bro) (*substantivo*)

A parte interior do crânio: *É através do* **cérebro** *que pensamos e sentimos*.

CESSAR (ces-*sar*) (*verbo*)

Parar, interromper, ter fim: *O barulho* **cessou**.

CESTA (ces-ta) (*substantivo*)

Caixa grande, com asas, na qual se transporta ou se guarda alguma coisa: *Temos em casa uma* **cesta** *de vime*.
Rede de malha por onde passa a bola no jogo de basquete: *Oscar sempre acerta a* **cesta**.

CÉU (*substantivo*)

Firmamento: *Noite linda, com o* **céu** *cheio de estrelas*.
Paraíso: *Muitas religiões dizem que as pessoas caridosas, quando morrem, vão para o* **céu**.

CHÁ (*substantivo*)

Bebida que se prepara com o cozimento, em água fervente, das folhas de várias plantas: **Chá** *mate,* **chá** *de erva-doce,* **chá** *de erva-cidreira etc*.

CHAVE (*cha*-ve) (*substantivo*)
Instrumento de ferro para abrir fechaduras:
A **chave** *da porta, da gaveta, do cadeado etc.*
Instrumento para ligar ou desligar: *A* **chave** *do carro, da luz etc.*
Instrumento para apertar, desapertar etc.:
Chave *de fenda,* **chave** *inglesa etc.*

CHEFE (*che*-fe) (*substantivo*)
Pessoa que comanda, dirige: *Fale com o* **chefe**, *ele é quem resolve.*

CHEIRO (*chei*-ro) (*substantivo*)
O que sentimos por meio do sentido do olfato, aroma:
O mau **cheiro** *era insuportável.*

CHOCALHO (cho-*ca*-lho) (*substantivo*)
Brinquedo que se usa para distrair o bebê:
Pedro agitou o **chocalho** *e o bebê parou de chorar.*

CHOCOLATE (cho-co-*la*-te) (*substantivo*)
Pó das sementes do cacau com que se prepara uma bebida nutritiva:
Chocolate *quente.*
Pasta feita de cacau, açúcar etc.: *Barra de* **chocolate**.

CHORAR (cho-*rar*) (*verbo*)
Derramar lágrimas: *Quem* **chora** *por qualquer coisa é chorão.*
Lamentar, entristecer-se: *Lauro* **chorou** *muito quando o pai dele morreu.*

CHURRASCO (chur-*ras*-co) (*substantivo*)
Pedaço de carne que se assa sobre brasas: *No Sul do Brasil o* **churrasco** *é muito apreciado.*

CHUVA (chu-*va*) (*substantivo*)
Água que cai da atmosfera em gotas: **Chuva** *muito forte chama-se aguaceiro ou tempestade.*

CIDADE (ci-*da*-de) (*substantivo*)
Grande povoação dividida em bairros, com ruas, avenidas, casas, edifícios etc.: *São Paulo é uma das maiores* **cidades** *do mundo.*

CIGARRA (ci-*gar*-ra) (*substantivo*)
Inseto cujo macho produz um som forte, espécie de canto: *Nas noites quentes as* **cigarras** *cantam sem parar.*

CINEMA (ci-*ne*-ma) (*substantivo*)
Sala onde existe uma grande tela na qual se projetam as imagens dos filmes: *O* **cinema** *estava lotado, não havia mais lugares.*
Arte de fazer filmes: *Quem entende de* **cinema** *é o cineasta.*

CINZA (cin-za) (substantivo)
Resto de tudo o que é queimado: *O fogo reduziu tudo a* **cinzas**.

CIRCO (cir-co) (substantivo)
Grande armação de lona em forma de círculo, com arquibancada e picadeiro, onde se realizam espetáculos: *Para se distrair e adquirir cultura, Arnaldo vai ao cinema, ao teatro e ao* **circo**.

CLIMA (cli-ma) (substantivo)
Condições do tempo: **Clima** *quente,* **clima** *frio.*

COBIÇAR (co-bi-çar) (verbo)
Ter forte desejo de possuir alguma coisa: *Não se deve* **cobiçar** *o que é dos outros.*

COBRA (co-bra) (substantivo)
Réptil de corpo longo, cabeça chata e oval, dentes pequenos e língua comprida: *A* **cobra** *também se chama serpente.*

COCO (co-co) (substantivo)
Fruto da palmeira chamada coqueiro. O Nordeste do Brasil é rico em coqueiros: *Gosto de tomar água de* **coco**.

COELHO (co-e-lho) (*substantivo*)
Animal mamífero roedor, que cava a toca onde mora: *O* **coelho** *é o animal que simboliza a Páscoa.*

COFRE (co-fre) (*substantivo*)
Móvel em que se guardam dinheiro, documentos e objetos de valor: *Os* **cofres** *têm fechadura de segredo.*

COLÉGIO (co-lé-gio) (*substantivo*)
Estabelecimento de ensino; escola: *Depois de cursar o* **colégio** *o aluno vai para a faculdade.*

COLHEITA (co-lhei-ta) (*substantivo*)
Ação de colher os produtos da terra: **Colheita** *de arroz, de feijão, de milho, de trigo, de mandioca etc.*

COLMEIA (col-mei-a) (*substantivo*)
Lugar em que as abelhas vivem: *A* **colmeia** *também tem o nome de enxame.*

COMEÇAR (co-me-çar) (*verbo*)
Ter início: *A aula vai* **começar**.
Dar início: *Vamos* **começar** *a festa.*

COMÉRCIO (co-mér-cio) (*substantivo*)
Compra, venda e troca de mercadorias: *O* **comércio** *de livros.*

COMETA (co-me-ta) (*substantivo*)
Corpo celeste que se movimenta ao redor do Sol: *Os* **cometas** *têm cauda luminosa.*

COMETER (co-me-*ter*) (*verbo*)
Praticar, fazer: *Cuidado para não* **cometer** *erros.*

COMOVER (co-mo-*ver*) (*verbo*)
Emocionar, provocar lágrimas: *A morte do primo* **comoveu** *Pedrinho.*

COMPRAR (com-*prar*) (*verbo*)
Adquirir: *Neusa* **comprou** *uma geladeira e pagou à vista.*

COMPREENDER (com-pre-en-*der*) (*verbo*)
Entender: *Paulo* **compreendeu** *bem a explicação do professor.*

COMPUTADOR (com-pu-ta-*dor*) (*substantivo*)
Máquina capaz de guardar informações e resolver problemas: *O* **computador** *ajuda o aluno a aprender melhor.*

CONCORDAR (con-cor-*dar*) (*verbo*)

Ter a mesma opinião, o mesmo modo de ver uma coisa: *Você disse que é assim; eu* **concordo** *com você.*

CONJUNTO (con-*jun*-to) (*substantivo*)

Reunião de coisas ou pessoas: *Arquipélago é um* **conjunto** *de ilhas; banda é um* **conjunto** *de músicos.*

CONSEGUIR (con-se-*guir*) (*verbo*)

Obter, alcançar: *Júlio estudou muito e* **conseguiu** *o seu diploma.*

CONSOANTE (con-so-*an*-te) (*substantivo*)

Letra que só forma sílaba e palavra quando se junta a uma vogal. *São* **consoantes:** *b, c, d, f, g, h, j, k, l, m, n, p, q, r, s, t, v, w, x, y, z.*

CONSTELAÇÃO (cons-te-la-*ção*) (*substantivo*)

Grupo de estrelas: *A* **constelação** *do Cruzeiro do Sul é visível no céu do Brasil.*

CONSULTAR (con-sul-*tar*) (*verbo*)

Procurar explicações:
Vamos **consultar** *o dicionário.*
Pedir conselhos a alguém:
Só decido depois de **consultar** *o chefe.*

CONTAGIOSO (con-ta-gi-o-so) (*adjetivo*)
Que pode passar a outras pessoas:
Doença **contagiosa**.

CONTINUAR (con-ti-nu-*ar*) (*verbo*)
Ir em frente, não parar: *Júlio resolveu* **continuar** *seus estudos*.

COOPERAR (co-o-pe-*rar*) (*verbo*)
Trabalhar ou fazer alguma coisa junto com alguém, colaborar: *Todos vão* **cooperar** *na organização da festa de formatura*.

CONTO (*con*-to) (*substantivo*)
História verdadeira ou imaginada pelo escritor:
A Bela Adormecida e Cinderela são **contos** *de fadas*.

CONTRAMÃO (con-tra-*mão*) (*substantivo*)
Sentido de rua proibido aos veículos vindos de direção oposta; direção oposta à mão: *Essa rua é* **contramão**.

CORAÇÃO (co-ra-*ção*) (*substantivo*)
Principal órgão da circulação do sangue:
O **coração** *envia o sangue a todas as partes do nosso corpo*.
Símbolo da sede do amor:
Amo meu pai e minha mãe com todo o meu **coração**.

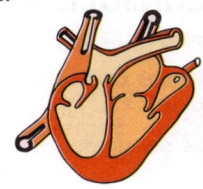

CORDILHEIRA (cor-di-*lhei*-ra) (*substantivo*)
Grupo de altas montanhas: *A **cordilheira** dos Andes fica na América do Sul.*

CORO (*co*-ro) (*substantivo*)
Reunião de pessoas que cantam juntas: *Juçara canta no **coro** da igreja.*

CORPO (*cor*-po) (*substantivo*)
Parte material das pessoas e dos animais: *Nosso **corpo** chama-se **corpo** humano.*
O que existe no céu: *Os astros são **corpos** celestes.*
Conjunto de pessoas que trabalham juntas: *Os dançarinos do teatro formam um **corpo** de baile.*

CORREIO (cor-*rei*-o) (*substantivo*)
Serviço que recebe e envia cartas, impressos, volumes etc. para qualquer lugar do mundo: *Recebi um telegrama através do **correio**.*

CORUJA (co-*ru*-ja) (*substantivo*)
Ave noturna, de olhos muito grandes e arregalados: *A **coruja** é ave de rapina, alimenta-se de pequenos animais mamíferos.*

COZINHA (co-*zi*-nha) (*substantivo*)
Parte da casa onde se preparam os alimentos: *A mulher que trabalha na **cozinha** é a cozinheira.*

CRER (verbo)
Acreditar: *É preciso **crer** em Deus.*

CRIAR (cri-*ar*) (verbo)
Fazer existir: *Deus **criou** o mundo.*
Produzir: *O bom escritor **cria** obras de que todos gostam.*
Inventar: *O político **criou** um partido.*
Causar: *Júlio não tem jeito, está sempre **criando** problemas.*

CRISTAL (cris-*tal*) (substantivo)
Material duro e brilhante com o qual se fazem copos, taças, espelhos etc.: *O móvel em que se guardam os objetos de **cristal** chama-se cristaleira.*

CRUEL (cru-*el*) (adjetivo)
Mau, perverso: *É **cruel** o menino que maltrata os animais.*

CURRAL (cur-*ral*) (substantivo)
Onde se recolhe o gado: *É no **curral** que se tira o leite da vaca.*

CURTO (cur-*to*) (adjetivo)
Que não é comprido: *Vestido **curto**.*

CUTUCAR (cu-tu-*car*) (verbo)
Tocar com o cotovelo, com o dedo, com um objeto, para chamar a atenção: *Pedrinho **cutucou** João para que ele visse a menina.*

Dd

D (*substantivo*)

Quarta letra do abecedário ou alfabeto. Pode ser maiúsculo: D, ou minúsculo: d. O **d** é uma consoante (Veja essa palavra).

DADO (*da*-do) (*substantivo*)
Pequeno cubo feito de osso ou marfim, usado em alguns jogos: *O* **dado** *tem seis faces com pontos marcados de um a seis.*

DANÇA (*dan*-ça) (*substantivo*)
Movimentos com os pés e o corpo, ao som de música: *A* **dança** *também se chama baile.*

DATA (*da*-ta) (*substantivo*)
Indicação do dia, mês e ano de um acontecimento: *7 de setembro de 1822 é a* **data** *da independência do Brasil.*

DEBAIXO (de-*bai*-xo) (*advérbio*)
Na parte inferior: *O menino entrou* **debaixo** *da mesa.*

DEBATE (de-*ba*-te) (*substantivo*)
Discussão entre duas ou mais pessoas sobre um assunto ou tema: *No* **debate** *cada um diz o que pensa.*

DECLAMAR (de-cla-*mar*) (*verbo*)
Recitar em voz alta: *João vai* **declamar** *uma poesia na festa da escola.*

DEDICAR (de-di-*car*) (*verbo*)
Oferecer: *O escritor* **dedicou** *o livro à mulher dele.*

DEDO (*de*-do) (*substantivo*)
Parte final, ou extremidade, das mãos e dos pés: *Todos nós temos vinte* **dedos**, *dez nas mãos e dez nos pés.*

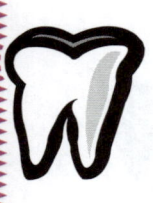

DENTE (*den*-te) (*substantivo*)
Estrutura dura e esbranquiçada, que fica dentro da boca e serve para morder e mastigar. *Juquinha nunca se esquece de escovar os* **dentes**. Ponta de certos instrumentos: *Os* **dentes** *do serrote.*

DENTISTA (den-*tis*-ta) (*substantivo*)
Pessoa que trata dos nossos dentes: *O* **dentista** *curou a dor de dente do Paulinho.*

DEPOIS (de-*pois*) (*advérbio*)
Que acontece ou vem em seguida, ou mais tarde: *Não deixe para* **depois** *o que você pode fazer agora.*

DERROTAR (der-ro-*tar*) (*verbo*)
Vencer alguém: *A Seleção Brasileira* **derrotou** *a Seleção Francesa.*

DESAMPARADO (de-sam-pa-*ra*-do) (*adjetivo*)
Abandonado, sem ajuda: *É muito triste a vida do velhinho* **desamparado**.

DESANIMAR (de-sa-ni-*mar*) (*verbo*)
Fazer alguém perder a vontade e até desistir: *A falta de compradores* **desanimou** *o vendedor.*

DESCENDENTE (des-cen-*den*-te) (*substantivo*)
Pessoa originária de determinada família, geração ou raça. **Descendente** *de italianos.*

DESCREVER (des-cre-*ver*) (*verbo*)
Dizer, falando ou escrevendo, como é uma pessoa, um objeto, uma cidade, uma paisagem etc.: *A professora mandou os alunos* **descreverem** *o passeio ao Jardim Zoológico.*

DESEMPREGADO (de-sem-pre-*ga*-do) (*adjetivo*)
Pessoa que perdeu o emprego, que não tem onde trabalhar: *No mundo existem milhões de* **desempregados**.

DESERTO (de-*ser*-to)
(*substantivo*) Grande extensão de terra coberta de areia, onde não chove e onde ninguém mora: *O maior* **deserto** *do mundo chama-se Saara.*
(*adjetivo*) Onde não há ninguém: *A rua estava* **deserta**.

DESJEJUM (des-je-*jum*) (*substantivo*)
Primeira refeição do dia: *O* **desjejum** *é o café da manhã.*

DESMORONAR (des-mo-ro-*nar*) (*verbo*)
Cair com estrondo: *O prédio* **desmoronou**.

DESNUTRIÇÃO (des-nu-tri-ção) (*substantivo*)
Falta de nutrição; fraqueza, emagrecimento: *A* **desnutrição** *causa doenças.*

DESPERTADOR (des-per-ta-*dor*) (*substantivo*)
Relógio que toca uma campainha na hora marcada: *O* **despertador** *me acordou às seis horas da manhã.*

DEUS (*substantivo*)
Ser infinito e eterno, criador de tudo que existe. *Amar a* **Deus** *sobre todas as coisas e ao próximo como a si mesmo.*

DEVAGAR (de-va-gar) (*advérbio*)
Sem pressa: *Não corra; ande* **devagar**.

DEZEMBRO (de-zem-bro) (*substantivo*)
Último mês do ano, logo depois de novembro, com 31 dias: *em 31 de* **dezembro** *as pessoas organizam grandes festas para comemorar a chegada do Ano-Novo.*

DIA (*di*-a) (*substantivo*)

O tempo que vai desde o nascer até o pôr do sol:
*O **dia** e a noite somam 24 horas ou um dia da folhinha.*

DIÁLOGO (di-*á*-lo-go) (*substantivo*)

Conversa entre duas pessoas: *É muito importante o **diálogo** entre pais e filhos.*

DIAMANTE (di-a-*man*-te) (*substantivo*)

Pedra preciosa muito dura, brilhante e bonita: *Com o **diamante** se fazem joias de muito valor.*

DIANTE (di-*an*-te) (*advérbio*)

Na frente: *Plantaram uma árvore **diante** da casa de Julinho.*

DIÁRIO (di-*á*-rio) (*substantivo*)

Que se faz ou acontece todos os dias: *Aulas **diárias** de Português.*
Caderno ou livro em branco onde se anotam os acontecimentos do dia: *Vilma não deixa ninguém ler o seu **diário**.*

DICIONÁRIO (di-cio-*ná*-rio) (*substantivo*)

Livro que explica o significado ou dá a tradução das palavras de uma língua: ***Dicionário** da Língua Portuguesa*, ***Dicionário** Inglês-Português*.

DIFÍCIL (di-*fí*-cil) (*adjetivo*)

Que não é fácil: *Paulinho achou o problema muito **difícil**.*

83

DIGESTÃO (di-ges-*tão*) (*substantivo*)

Transformação dos alimentos no estômago e nos intestinos: *Pela* **digestão** *nosso corpo aproveita a parte dos alimentos que nos fortalece.*

DIMENSÃO (di-men-*são*) (*substantivo*)

Extensão, tamanho: *O Brasil é um país de grande* **dimensão**.

DIREÇÃO (di-re-*ção*) (*substantivo*)

Grupo de pessoas que dirige ou comanda: *A* **direção** *da escola.* Caminho, rumo: *Siga naquela* **direção**.

DIREITO (di-*rei*-to)

(*adjetivo*) Que não é torto: *Caminho* **direito**, *sem curvas*.
Contrário ao esquerdo: *Mão* **direita**, *braço* **direito**.
De acordo com a boa educação: *Andar* **direito**.
(*substantivo*) Curso de formação de advogados: *Meu primo está na faculdade de* **Direito**.

DISCO (*dis*-co) (*substantivo*)

Objeto chato e circular; redondo: *O atleta atira longe o* **disco** *de ferro*.
Chapa onde se gravam sons e vozes: *O CD é um* **disco** *compacto porque nele estão reunidas muitas músicas*.

DISFARCE (dis-*far*-ce) (*substantivo*)

O que serve para esconder, encobrir, tapar: *As máscaras são* **disfarces** *muito usados no carnaval.*

DISTÂNCIA (dis-*tân*-cia) (*substantivo*)

Espaço entre duas coisas ou pessoas: *É grande a **distância** entre a casa de Pedro e a escola.*

DOCE (*do*-ce)

(*adjetivo*) Que tem gosto de açúcar: *Gosto do café bem **doce**. Que não é salgado: A água **doce** é a dos rios e fontes; a salgada é a dos mares.*
(*substantivo*) O que é feito com açúcar ou mel: ***doce** de coco, **doce** de abóbora.*

DOER (do-*er*) (*verbo*)

Sentir dor: *Meu dente está **doendo**.*
Provocar dor: *O tombo fez **doer** minha cabeça.*

DOMADOR (do-ma-*dor*) (*substantivo*)

Pessoa que faz animais selvagens ficarem mansos: *Vi no circo o **domador** de leões.*

DOMÉSTICO (do-*més*-ti-co) (*adjetivo*)

Da casa, do apartamento, de onde moramos: *A empregada **doméstica** é a que trabalha em casa.*
Criado em casa: *O cão, o gato, a galinha são animais **domésticos**.*

DOR (*substantivo*)

Sensação desagradável no corpo ou na alma: ***Dor** de cabeça, **dor** de tristeza.*

DORMIR (dor-*mir*) (*verbo*)
Entrar no sono para descansar:
*Julinho **dorme** demais,
é dorminhoco.*

DORMITÓRIO (dor-mi-*tó*-rio) (*substantivo*)
Quarto, pavilhão ou lugar no qual as pessoas dormem:
*Minha casa tem três **dormitórios**.*

DRAGÃO (dra-*gão*) (*substantivo*)
Monstro de mentira, que só existe nas histórias infantis:
*O **dragão** tem garras de leão, asas de morcego, cauda de serpente e solta fogo pela boca.*

DUCHA (*du*-cha) (*substantivo*)
Jato forte de água que cai sobre o corpo:
*Vou ao banheiro tomar uma **ducha** quente.*

DUENDE (du-*en*-de) (*substantivo*)
Ser pequenino, de aspecto humano e orelhas pontiagudas que só existe em lendas.
*Os **duendes** fazem travessuras nas florestas.*

DURO (*du*-ro) (*adjetivo*)
Que não é mole, difícil de quebrar: *O coco tem casca **dura**.*

DUVIDAR (du-vi-*dar*) (*verbo*)
Não ter certeza, não acreditar: ***Duvido** que você seja capaz de fazer isso.*

Ee

E (*substantivo*)

Quinta letra do abecedário ou alfabeto. Pode ser maiúsculo: E, ou minúsculo: e. O **e** é uma vogal (Veja essa palavra).

ECLIPSE (e-*clip*-se) (*substantivo*)

Sombra da Terra que esconde a Lua (eclipse da Lua), ou sombra da Lua que esconde o Sol (eclipse do Sol): *Nos* **eclipses** *a Lua ou o Sol desaparecem por algum tempo.*

ECO (e-co) (*substantivo*)

Repetição de um som: Em certos lugares, como salões, igrejas, despenhadeiros, quando falamos alto ou gritamos, a nossa voz parece que volta para nós: isso é o **eco.**

EDUCAR (e-du-*car*) (*verbo*)

Ajudar a criança a desenvolver bons hábitos e adquirir conhecimentos: *Os pais e os mestres* **educam** *os filhos e alunos.*

EGOÍSTA (e-go-*ís*-ta) (*adjetivo*)

Que só cuida de suas coisas, que só pensa em si mesmo e despreza os outros: *Ajude os outros, não seja* **egoísta**!

ELEIÇÃO (e-lei-ção) (*substantivo*)

Ação de escolher alguém para um cargo, votando nele: *Na última* **eleição** *votamos para presidente, senadores e deputados.*

ELEFANTE (e-le-*fan*-te) (*substantivo*)

Enorme animal mamífero de orelhas grandes, dentes pontudos de marfim e tromba comprida: *Há* **elefantes** *que chegam a pesar seis mil quilos!*

ELETRICIDADE (e-le-tri-ci-*da*-de) (*substantivo*)

Força, energia que movimenta máquinas, acende a luz, liga o rádio e a televisão, esquenta a água do chuveiro e o ferro de passar roupas etc.: *A* **eletricidade** *também faz os raios e os relâmpagos aparecerem no céu.*

ELEVADOR (e-le-va-*dor*) (*substantivo*)

Grande caixa movida a eletricidade, que leva pessoas e cargas para cima e para baixo: *Moro no oitavo andar; quando entro no* **elevador**, *para subir, aperto o botão número oito.*

ELOGIAR (e-lo-gi-*ar*) (*verbo*)

Falar bem de uma pessoa ou de alguma coisa: **Elogiar** *faz bem;* **elogiar** *demais faz mal.*

EMBARCAÇÃO (em-bar-ca-ção) (*substantivo*)

Tudo o que navega na água: *O navio, o iate, o barco, a canoa são* **embarcações**.

ENCICLOPÉDIA (en-ci-clo-*pé*-dia) (*substantivo*)

Livro ou reunião de livros que trata de todos os conhecimentos humanos: *Para fazer seu trabalho escolar o grupo de Pedrinho consultou uma* **enciclopédia**.

ENERGIA (e-ner-*gi*-a) (*substantivo*)

Força que produz calor ou movimento: **Energia** *elétrica.*
Modo severo de dizer, de fazer ou de querer: *O professor repreendeu a classe com* **energia,** *e todos ficaram quietos.*

ENGOLIR (en-go-*lir*) (*verbo*)

Fazer passar da boca para o estômago: *Mastigue bem os alimentos antes de* **engolir**.

ENGRAÇADO (en-gra-*ça*-do) (*adjetivo*)

Que tem graça, que faz rir: *Os palhaços são* **engraçados**; *vivem de fazer graça.*

ENTRISTECER (en-tris-te-*cer*) (*verbo*)

Deixar triste: *A derrota do time* **entristeceu** *o Julinho.*

ENVELHECER (en-ve-lhe-*cer*) (*verbo*)

Ficar velho: *O vovô tem cabelos brancos porque* **envelheceu**.

ENVIAR (en-vi-*ar*) (*verbo*)

Remeter, endereçar: **Enviar** *cartas.*
Mandar, fazer que compareça: *O jornal* **enviou** *um repórter ao local do desastre.*

ENXAME (en-*xa*-me) (*substantivo*)
Conjunto de abelhas de uma colmeia:
*A rainha do **enxame** é chamada abelha-mestra.*

EQUIPE (e-*qui*-pe) (*substantivo*)
Grupo de pessoas que se reúnem para fazer um trabalho ou participar de uma competição esportiva: *Letícia faz parte da **equipe** de voleibol do seu colégio.*

ERRAR (er-*rar*) (*verbo*)
Não acertar: *Estude bastante para não **errar** mais.*
Enganar-se: *Ele **errou** no troco.*

ERVA (*er*-va) (*substantivo*)
Planta que nasce por si mesma, sem que a tenham plantado, e morre logo depois de dar fruto: *Muitas **ervas** são medicinais, como a **erva**-doce, e a **erva**-cidreira.*

ESBANJAR (es-ban-*jar*) (*verbo*)
Gastar à toa, sem necessidade: *Tenha cuidado, não vá **esbanjar** seu dinheiro.*

ESCADA (es-*ca*-da) (*substantivo*)
Conjunto de degraus pelos quais as pessoas sobem e descem:
*Na **escada** rolante a pessoa fica parada num dos degraus.*

ESCAMA (es-*ca*-ma) (*substantivo*)

Aquilo que cobre o corpo de alguns peixes e répteis: *O peixe que comprei no mercado já veio limpo e sem* **escamas**.

ESCOLA (es-*co*-la) (*substantivo*)

Estabelecimento de ensino: **Escola** *é onde se ensina e se aprende uma ou várias coisas*.

ESCORPIÃO (es-cor-pi-*ão*) (*substantivo*)

Animal venenoso: *O* **escorpião** *tem um ferrão na ponta da cauda, que ele espeta na sua vítima, e pelo qual sai o veneno*.

ESCOVA (es-*co*-va) (*substantivo*)

Instrumento de pelos, arames etc.: *Com* **escova** *se limpam roupas, sapatos, móveis, cabelos, dentes etc*.

ESCULTOR (es-cul-*tor*) (*substantivo*)

Pessoa que faz trabalhos artísticos com pedra, argila, cera, madeira, metal: *A arte do* **escultor** *é a escultura*.

ESFERA (es-*fe*-ra) (*substantivo*)

O que é redondo: *A bola é uma* **esfera**.

ESMALTE (es-*mal*-te) (*substantivo*)

Líquido, também chamado verniz, que se usa para deixar os objetos bem-acabados e brilhantes. **Esmalte** é também o nome do líquido pastoso que as mulheres usam para pintar as unhas.

ESMERALDA (es-me-*ral*-da) (*substantivo*)
Pedra preciosa de cor verde: *Usa-se a* **esmeralda** *para fazer anéis e outras joias.*

ESPADA (es-*pa*-da) (*substantivo*)
Arma de aço, comprida e pontuda, com um dos lados afiado para cortar: *Antigamente os guerreiros usavam* **espadas**.

ESPANTALHO (es-pan-*ta*-lho) (*substantivo*)
Boneco que se coloca nas plantações e jardins para espantar as aves que comem as sementes e estragam as plantas: *O* **espantalho** *é um boneco de palha vestido com roupas de homem e chapéu.*

ESPECTADOR (es-pec-ta-*dor*) (*substantivo*)
Pessoa que assiste a um espetáculo: *Nos estádios os* **espectadores** *lotam as arquibancadas.*

ESPELHO (es-*pe*-lho) (*substantivo*)
Objeto que reflete a luz, as pessoas e tudo o que se puser diante dele: *Para pentear os cabelos Mafalda se olha no* **espelho**.

ESPIGA (es-*pi*-ga) (*substantivo*)
Parte do milho e de outras plantas onde se formam os grãos: *A* **espiga** *de milho tem muitos grãos grudados no miolo, chamado sabugo.*

ESPORA (es-*po*-ra) (*substantivo*)

Instrumento de metal, com muitas pontas, que se coloca no salto das botas dos cavaleiros, com o qual cutucam os cavalos, para que corram mais: *Cutucar ou ferir com as* **esporas** *é esporear.*

ESPORTE (es-*por*-te) (*substantivo*)

Atividade corporal que a pessoa pratica sozinha ou em equipe: *São* **esportes** *a ginástica, o futebol, o basquetebol, o voleibol, a natação.*

ESQUELETO (es-que-*le*-to) (*substantivo*)

Conjunto dos ossos do corpo dos chamados vertebrados: *O* **esqueleto** *sustenta o nosso corpo e o mantém firme e seguro.*

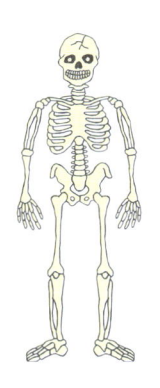

ESQUERDO (es-*quer*-do) (*adjetivo*)

Contrário ao direito: *Lado* **esquerdo**, *mão* **esquerda**, *pé* **esquerdo**.

ESQUILO (es-*qui*-lo) (*substantivo*)

Animal mamífero roedor. *Os* **esquilos** *têm rabo grande e peludo, e ficam em pé apoiados nas patinhas traseiras.*

ESQUIMÓ (es-qui-*mó*) (*substantivo*)

Habitante das regiões polares: *Os* **esquimós** *moram em casas de gelo chamadas iglus.*

ESQUINA (es-qui-na) (substantivo)
Canto formado pelo cruzamento de duas ruas: *Meu tio é dono de uma padaria na* **esquina** *da rua em que mora.*

ESTAÇÃO (es-ta-ção) (substantivo)
Onde param trens, ônibus, navios ou carros: *Tomamos o trem na* **Estação** *da Luz.*
Cada uma das partes em que se divide o ano: *As* **estações** *do ano são quatro: primavera, verão, outono e inverno.*

ESTÁDIO (es-tá-dio) (substantivo)
Grande construção onde se realizam jogos esportivos: *Os* **estádios** *podem ter campo de futebol, quadras de tênis, basquetebol, voleibol, pistas de corridas, piscinas, cadeiras e arquibancadas para os espectadores.*

ESTÁTUA (es-tá-tua) (substantivo)
Escultura de pedra, madeira, mármore, bronze e outros materiais, que representa um ser humano, um animal ou ser mítico: *No Ibirapuera, em São Paulo, existe uma* **estátua** *do Padre Anchieta.*

ESTATURA (es-ta-tu-ra) (substantivo)
Altura: *Pedrinho tem um metro e quarenta centímetros de* **estatura**.

ESTÔMAGO (es-tô-ma-go) (*substantivo*)

Órgão em que se realiza a digestão dos alimentos que comemos: *Para chegar ao* **estômago** *os alimentos passam pelo esôfago.*

ESTRANHO (es-tra-nho) (*adjetivo*)

Que é desconhecido, ou esquisito, ou misterioso: *Papai foi ao médico porque sentiu uma dor* **estranha** *no peito.*

ESTREITO (es-trei-to) (*adjetivo*)

Que não é largo: *A rua onde moro é muito* **estreita**.

ESTRELA (es-tre-la) (*substantivo*)
Astro que tem luz própria: *Márcio ficou admirado quando aprendeu que o Sol é uma* **estrela**.

ESTRONDO (es-tron-do) (*substantivo*)

Grande barulho: *Logo depois do relâmpago veio o* **estrondo** *do trovão.*

ESVAZIAR (es-va-zi-ar) (*verbo*)

Deixar vazio: *Lino tomou todo o guaraná;* **esvaziou** *a garrafa.*

EUCALIPTO (eu-ca-lip-to) (*substantivo*)

Árvore de grande altura e madeira muito forte, usada em construções: *Com as folhas do* **eucalipto** *se fazem perfumes, desinfetantes, medicamentos.*

EVITAR (e-vi-*tar*) (*verbo*)
Não deixar que aconteça: *É bom **evitar** brigas.*

EXCELENTE (ex-ce-*len*-te) (*adjetivo*)
Muito bom, ótimo: *Dona Marta foi uma **excelente** professora.*

EXIBIR (e-xi-*bir*) (*verbo*)
Mostrar, expor: *Lenita gosta de dançar, só para se **exibir**.*

EXPERIMENTAR (ex-pe-ri-men-*tar*) (*verbo*)
Provar, ver se está de acordo com o que se deseja: *Vou **experimentar** um pedacinho desse doce.*

EXPLICAR (ex-pli-*car*) (*verbo*)
Fazer que fique fácil de compreender: *O professor **explicou** o ponto e todos entenderam.*

EXPLORADOR (ex-plo-ra-*dor*) (*substantivo*)
Pessoa que faz viagens ou pesquisas para descobrir coisas até então desconhecidas: *Muitos **exploradores** visitam as selvas e os mares.*

EXTRAORDINÁRIO (ex-tra-or-di-*ná*-rio) (*adjetivo*)
Fora do comum, que causa surpresa ou espanto: *Aquele foi um passeio **extraordinário**.*

Ff

F (*substantivo*)

Sexta letra do abecedário ou alfabeto. Pode ser maiúsculo: F, ou minúsculo: f. O **f** é uma consoante (Veja essa palavra).

FÃ (*substantivo*)

Pessoa que tem grande admiração por alguém ou por alguma coisa: *Meu professor de História é legal, sou* **fã** *dele*.

FÁBRICA (*fá-bri-ca*) (*substantivo*)

Estabelecimento ou lugar em que se produz alguma coisa ou se prepara algum produto: **Fábrica** *de móveis,* **fábrica** *de brinquedos,* **fábrica** *de doces*.

FÁBULA (*fá-bu-la*) (*substantivo*)

Pequena história em que os personagens quase sempre são animais que falam: *As* **fábulas** *nos dão ensinamentos de grande valor*.

FACA (*fa-ca*) (*substantivo*)

Instrumento de aço, com lâmina cortante num dos lados, e cabo pelo qual o seguramos: *Juliana já aprendeu a comer com* **faca** *e garfo*.

FÁCIL (fá-cil) (adjetivo)
Que se faz sem muito esforço: *Luciano é inteligente, sempre acha* **fácil** *a lição.*

FADA (fa-da) (substantivo)
Mulher com poderes mágicos: *As* **fadas** *são de mentira, só existem nas histórias para crianças.*

FALSO (fal-so) (adjetivo)
Que não é verdadeiro: *É preciso cuidado para não receber dinheiro* **falso**.
Fingido, enganador: *Nunca pensei que Leopoldo fosse tão* **falso**.

FAMÍLIA (fa-mí-lia) (substantivo)
Conjunto formado por pai, mãe, irmãos e outros parentes: *Minha* **família** *é pequena, mas muito unida.*

FAMOSO (fa-mo-so) (adjetivo)
Que é muito conhecido: *Pelé é o mais* **famoso** *jogador de futebol.*

FARINHA (fa-ri-nha) (substantivo)
Pó em que se transformam alguns cereais, sementes e raízes: **Farinha** *de trigo,* **farinha** *de mandioca,* **farinha** *de milho.*

FAROL (fa-*rol*) (*substantivo*)

Torre construída perto do mar, no alto da qual existe um foco de luz produzido por uma lâmpada muito forte que gira de um lado para o outro, para guiar os navegantes durante a noite.
Lanterna dos automóveis: *O* **farol** *ilumina bem à frente (***farol*** alto), ou só uma parte do caminho (***farol*** baixo).*
Semáforo: *As luzes do* **farol** *são vermelho (pare!), amarelo (espere!) e verde (pode passar).*

FARRAPO (far-*ra*-po) (*substantivo*)

Trapo; pano usado e todo rasgado: *A roupa do mendigo estava em* **farrapos**.

FAUNA (*fau*-na) (*substantivo*)

Conjunto de todos os animais de um país ou de uma região: *A* **fauna** *brasileira, a* **fauna** *amazônica.*

FEIRA (*fei*-ra) (*substantivo*)

Mercado ao ar livre: *Aos domingos a* **feira** *é bem na rua em que moro.*

FELIZ (fe-*liz*) (*adjetivo*)

Contente, muito alegre: *Pedrinho é um menino* **feliz**, *está sempre sorrindo.*
Em que tudo vai bem: *Que vida* **feliz** *é a vida do Juvenal!*

FÊMEA (*fê*-mea) (*substantivo*)

Animal do sexo feminino: *A* **fêmea** *do elefante é a elefanta.*

FEMININO (fe-mi-ni-no) (adjetivo)
Que se refere à mulher ou à fêmea dos animais; o contrário de masculino: *Marta é do sexo* **feminino**; *Paulo, do masculino.*
Os objetos que aparecem acompanhados do artigo *a* também são femininos: **A** *cadeira,* **a** *faca,* **a** *mesa,* **a** *porta.*

FÉRIAS (fé-rias) (substantivo)
Dias de descanso: *Os trabalhadores têm* **férias** *uma vez por ano; os estudantes, duas vezes.*

FERIR (fe-rir) (verbo)
Machucar: *Ele caiu e* **feriu** *o joelho.*
Maltratar, ofender: *A má palavra de João* **feriu** *Mafalda.*

FEROZ (fe-roz) (adjetivo)
Bravo, violento, mau: *Homem* **feroz**, *cão* **feroz**.

FERRAMENTA (fer-ra-men-ta) (substantivo)
Instrumento com que se fazem trabalhos manuais: *O serrote, o martelo, a chave de fenda são* **ferramentas**.

FERREIRO (fer-rei-ro) (substantivo)
Pessoa que trabalha em ferro: *A peça onde o* **ferreiro** *bate no ferro em brasa chama-se bigorna.*

FERROVIA (fer-ro-via) (substantivo)
Estrada de ferro: *Os trens correm pelos trilhos da* **ferrovia**.

FÉRTIL (fér-til) (adjetivo)

Que produz bem e bastante: *Terra* **fértil**.
Que inventa ou cria com facilidade: *Meu primo tem imaginação* **fértil**.

FESTA (fes-ta) (substantivo)

Reunião de pessoas para festejar algum acontecimento: **Festa** *de Ano-Novo,* **festa** *de aniversário*.

FEVEREIRO (fe-ve-rei-ro) (substantivo)

Segundo mês do ano, entre janeiro e março, com 28 dias: *De quatro em quatro anos* **fevereiro** *compõe o ano bissexto e então tem 29 dias.*

FIEL (fi-el)

(*adjetivo*) Leal, que não engana: *Amigo* **fiel**.
(*substantivo*) O praticante de uma religião: *Os* **fiéis** *da Igreja católica*.

FIGO (fi-go) (substantivo)

Fruto da árvore chamada figueira: *Come-se o* **figo** *cru, ao natural, ou com ele se faz doce*.

FIGURA (fi-gu-ra) (substantivo)

Imagem, desenho, pintura, ilustração: *Ione gosta de desenhar* **figuras**.

FILHO (fi-lho) (substantivo)

O que nasceu da união de um homem (pai) e uma mulher (mãe): *Meu pai é **filho** do meu avô.*
Criatura: *Somos todos **filhos** de Deus.*

FIM (substantivo)

Conclusão, término: *Todo trabalho tem começo, meio e **fim**.*

FINGIR (fin-gir) (verbo)

Inventar, fazer de conta, mentir: *Não adianta **fingir**, diga a verdade!*

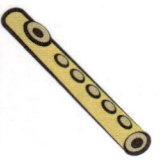

FLAUTA (flau-ta) (substantivo)

Instrumento que se toca soprando: *As **flautas** podem ser de madeira, de metal, de bambu, mas todas têm buraquinhos pelos quais sai o som.*

FLECHA (fle-cha) (substantivo)

Arma com ponta afiada e que se atira com um arco: *O arco e a **flecha** são armas muito antigas.*

FLOR (substantivo)

Parte da planta que tem perfume, cor e forma especial: *O cravo, a rosa, o jasmim, a tulipa, a orquídea, a margarida, como todas as outras **flores**, dão beleza aos campos e jardins.*

FLORESTA (flo-res-ta) (substantivo)

Mata, porção de árvores agrupadas numa grande extensão de terra: *Tadeu fez um trabalho escolar sobre a **floresta** Amazônica.*

FLUVIAL (flu-vi-*al*) (*adjetivo*)

Dos rios: *Chama-se **fluvial** a navegação de embarcações pelos rios.*

FOCA (*fo*-ca) (*substantivo*)

Animal mamífero, grande e de corpo muito liso, que vive nos climas frios e se alimenta de peixes: *As **focas** não têm orelhas e são excelentes nadadoras.*

FOGÃO (fo-gão) (*substantivo*)

Aparelho em que se acende fogo por meio de gás, eletricidade, carvão ou lenha: *Usa-se o **fogão** para cozinhar ou fritar os alimentos, ferver água e fazer assados.*

FOGO (*fo*-go) (*substantivo*)

Chama, labareda que produz calor e luz: *O **fogo** é o resultado da queima de vários materiais.*

FOLCLORE (fol-*clo*-re) (*substantivo*)

Conjunto das tradições, lendas, crenças e costumes de um país ou de uma religião: *O **folclore** reúne os provérbios, as canções, os contos (como o do saci-pererê), as festas populares (como a festa do divino, a festa do boi-bumbá) etc.*

FOLHA (*fo*-lha) (*substantivo*)

Parte que nasce e cresce no caule e nos ramos dos vegetais: *O conjunto dos ramos e das **folhas** forma a copa das árvores.* Pedaço de papel, geralmente de forma quadrada: *As **folhas** do livro, as **folhas** do jornal.*

FOME (*fo*-me) (*substantivo*)

Apetite, vontade de comer: *Vamos almoçar, que já estou com* **fome**.

FONTE (*fon*-te) (*substantivo*)

Nascente de água: *Nas* **fontes** *a água é pura e cristalina*.

FORMIGA (for-*mi*-ga) (*substantivo*)

Inseto que vive em grupos debaixo da terra: *O lugar em que as* **formigas** *vivem se chama formigueiro*.

FORTALECER (for-ta-le-*cer*) (*verbo*)

Fazer que fique forte, ou ainda mais forte: *A carne, o leite, os ovos, o pão, os legumes e frutas* **fortalecem** *nosso corpo*.

FORTE (*for*-te)

(*substantivo*) Construção com altos muros, torres de vigia, canhões, que os exércitos mantinham para a defesa das cidades: **Forte** *é o mesmo que fortaleza*.

(*adjetivo*) Que tem força, robusto: *O contrário de* **forte** *é fraco*.

FÓSFORO (*fós*-fo-ro) (*substantivo*)

Palito que tem na ponta uma pequena cabeça cheia de pólvora: *O* **fósforo** *se acende quando é esfregado na parte áspera da caixa de palitos*.

FÓSSIL (fós-sil) (substantivo)
Nome dado aos restos ou vestígios de plantas ou animais que viveram em tempos muito antigos e que são encontrados debaixo da terra: *Os* **fósseis** *de dinossauros mostram que eles eram animais gigantescos.*

FRACO (fra-co) (adjetivo)
Que não tem força: *Quem não se alimenta direito fica* **fraco**.
Suave, leve: *Pode sair, a chuva está* **fraca**.
Que não sabe bem: *Pedrinho está* **fraco** *em matemática.*
Que quase não se percebe: *O som dessa campainha é muito* **fraco**.

FRASE (fra-se) (substantivo)
Reunião de palavras com que se diz ou se escreve alguma coisa: *São* **frases**: *Juliana comeu tudo; Quem muito quer tudo perde.*

FRENTE (fren-te) (substantivo)
Parte dianteira: *Ontem pintaram a* **frente** *do colégio.*

FRIO (fri-o)
(*adjetivo*) Que não é quente: *Tempo* **frio**.
(*substantivo*) Falta de calor: *O* **frio** *é a estação do inverno.*
Sensação causada por essa falta: *Por favor, me dê a blusa porque estou com* **frio**.

FRONDOSO (fron-do-so) (adjetivo)
Que tem muitas folhas: *Árvore* **frondosa**.

FROUXO (frou-xo) (adjetivo)
Mole, que não tem energia: *Reaja, menino, não seja* **frouxo**!

FRUTA (*fru*-ta) (*substantivo*)

Fruto que se pode comer: *A banana, a maçã, a pera, o abacate, o morango são* **frutas** *muito apreciadas.*

FRUTO (*fru*-to) (*substantivo*)

Parte do vegetal que contém a semente: *A mangueira estava carregada de* **frutos** *(as mangas).*
Produtos das florestas, dos mares: *As ostras são* **frutos** *do mar.*
Resultado: *Tudo o que temos é* **fruto** *do trabalho de papai.*

FUGIR (fu-*gir*) (*verbo*)

Sair depressa para escapar de alguém ou de algum perigo: *O ladrão* **fugiu** *da polícia.*

FUMAÇA (fu-*ma*-ça) (*substantivo*)

Nuvem esbranquiçada ou escura que sai das coisas que estão queimando ou que estão muito quentes: *A* **fumaça** *do cigarro prejudica a saúde.*

FUTEBOL (fu-te-*bol*) (*substantivo*)

Jogo entre duas equipes ou times de 11 jogadores: *No* **futebol** *vence o time que marca maior número de gols.*

FUTURO (fu-*tu*-ro)

(*substantivo*) Tempo que ainda não chegou: *É impossível adivinhar o* **futuro**.

(*adjetivo*) Que vai ou pode existir: *O mundo* **futuro** *será melhor que o presente.*

G g

G *(substantivo)*

Sétima letra do abecedário ou alfabeto. Pode ser maiúsculo: G, ou minúsculo: g. O **g** é uma consoante (Veja essa palavra).

GADO *(ga-do)* *(substantivo)*

Conjunto de animais criados no campo: *O* **gado** *pode ser bovino (os bois, as vacas, os touros), ovino (as ovelhas, os carneiros, os cordeiros).*

GAIVOTA *(gai-vo-ta)* *(substantivo)*

Ave que vive perto do mar: *As* **gaivotas** *voam em bandos e mergulham nas águas do mar para apanhar os peixes com que se alimentam.*

GALÁXIA *(ga-lá-xia)* *(substantivo)*

Conjunto de planetas e bilhões de estrelas: *A Terra, onde moramos, está na* **galáxia** *chamada Via Láctea.*

GALINHA *(ga-li-nha)* *(substantivo)*

Fêmea do galo: *A* **galinha** *bota ovos, cisca o chão e cacareja.*

GALO (ga-lo) (substantivo)
Ave de crista carnuda e asas curtas e largas: *O **galo** estica o pescoço, bate as asas e canta.*

GANHAR (ga-nhar) (verbo)
Receber alguma coisa: *Pedrinho **ganhou** sapatos novos.*
Vencer: *Narciso **ganhou** a corrida.*

GARAGEM (ga-ra-gem) (substantivo)
Lugar coberto, ou parte da casa ou do edifício onde se guardam os veículos: *Existem também **garagens** para ônibus e caminhões.*

GARFO (gar-fo) (substantivo)
Utensílio que se usa para levar à boca os alimentos: *Há **garfos** de três e de quatro dentes.*

GARRAFA (gar-ra-fa) (substantivo)
Vasilha de vidro, de cristal, de louça ou de plástico que serve para conter líquidos: *O pescoço da **garrafa** se chama gargalo.*

GATO (ga-to) (substantivo)
Animal doméstico, de pelos macios, orelhas pontudas e bigode de fios durinhos: *O **gato** e o cachorro não se dão bem, vivem brigando.*

GELO (ge-lo) (*substantivo*)

Água em estado sólido: *O estado normal da água é líquido; fervida, vira vapor; congelada, vira **gelo**, que é sólido ou duro.*

GÊNIO (gê-nio) (*substantivo*)

Pessoa de grande inteligência e capacidade mental: *Thomas Edison, o criador da lâmpada elétrica, foi um **gênio**.*
O modo de ser de uma pessoa, temperamento: *Mariazinha tem um **gênio** ruim, vive nervosa.*
Homem com grandes poderes mágicos: *Os **gênios** só existem nas histórias para crianças.*

GENTE (gen-te) (*substantivo*)

Pessoa, ser humano: *Todos nós somos **gente**.*

GEOGRAFIA (ge-o-gra-fi-a) (*substantivo*)

Estudo de tudo o que existe na superfície da Terra: *O solo e suas riquezas, as montanhas, os rios, os mares, as florestas, os animais, os povos dos diversos países: quem estuda **Geografia** conhece bem a Terra, onde vivemos.*

GEOMETRIA (ge-o-me-tri-a) (*substantivo*)

Estudo das linhas e ângulos das figuras geométricas: *A **Geometria** é uma parte da Matemática.*

GERMINAR (ger-mi-nar) (*verbo*)

Começar a brotar, a se desenvolver: *As sementes lançadas na terra **germinam** depois de algum tempo e dão flores e frutos.*

GESTICULAR (ges-ti-cu-*lar*) (*verbo*)
Fazer gestos, sacudir as mãos, os braços: *A pessoa **gesticula** para chamar a atenção dos outros.*

GIGANTE (gi-*gan*-te) (*substantivo*)
Pessoa de corpo grande e muito alta: *Lino explicou ao irmãozinho que os **gigantes** são de mentira, só existem nas histórias e contos.*
Pessoa de muito valor: *Meu professor é um **gigante** em Matemática.*

GIGANTESCO (gi-gan-*tes*-co) (*adjetivo*)
Enorme, muito grande: *Os elefantes são animais **gigantescos**.*

GINÁSTICA (gi-*nás*-ti-ca) (*substantivo*)
Movimentos, exercícios corporais: *A **ginástica** desenvolve, fortalece e embeleza o corpo.*

GIRAFA (gi-*ra*-fa) (*substantivo*)
Animal mamífero de pernas longas, pescoço comprido e pequenos chifres no alto da cabeça: *A **girafa** é o mais alto de todos os animais.*

GIRASSOL (gi-ras-*sol*) (*substantivo*)
Planta que dá flores grandes e amarelas: *O **girassol** tem esse nome porque sempre se vira para o lado do Sol.*

GNOMO (gno-mo) (*substantivo*)

Segundo a crença popular, é um espírito pequenino que habita o interior da Terra, toma conta das minas e tesouros e protege os animais e as plantas: *Meu professor de História não acredita em* **gnomos**; *diz que são espíritos de mentira.*

GOLFO (gol-fo) (*substantivo*)

Parte do mar que entra pela terra, deixando uma abertura larga: *O* **golfo** *é um acidente geográfico.*

GOLPE (gol-pe) (*substantivo*)

Pancada forte: *O lenhador racha lenha com* **golpes** *de machado.*

GORDO (gor-do) (*adjetivo*)

Que tem muita gordura: *Boi* **gordo**, *caldo* **gordo**.

GORDURA (gor-du-ra) (*substantivo*)

Substância que se junta no corpo das pessoas e dos animais: *A* **gordura** *do porco é usada para cozinhar; a das pessoas se chama tecido adiposo.*

GOSTO (gos-to) (*substantivo*)

Um dos nossos cinco sentidos, também chamado paladar: *Pelo* **gosto** *sentimos o sabor do que comemos e bebemos.*

GOTA (go-ta) (*substantivo*)

Pingo de água: *As* **gotas** *de chuva.*
Pingo de qualquer líquido: *A bula do remédio indicava que eu tomasse trinta* **gotas** *em meio copo d'água.*

GOZADO (go-za-do) (*adjetivo*)

Que faz rir, engraçado: *Nosso colega Leonel é* **gozado**, *faz rir até o professor.*

GRADE (gra-de) (*substantivo*)

Armação de barras de ferro, com espaços entre elas: *As* **grades** *protegem os jardins, as casas e, nas prisões, impedem a fuga dos presos.*

GRAMA (gra-ma) (*substantivo*)

Planta rasteira, muito verde: *Os campos de futebol se chamam gramados porque são cobertos de* **grama**.
Medida de peso: *Comprei 300 (trezentos)* **gramas** *de azeitonas.* (Quando é planta dizemos **a grama**; quando é medida de peso dizemos **o grama**.)

GRAMÁTICA (gra-má-ti-ca) (*substantivo*)

Estudo da linguagem falada e escrita: *Estudamos a* **Gramática** *para falarmos e escrevermos corretamente, sem erros.*

GRANDE (gran-de) (*adjetivo*)

De bom tamanho ou de tamanho maior: *Rafael tem pés* **grandes** *e pernas compridas.*

GRANIZO (gra-ni-zo) (*substantivo*)

Chuva de pedras: *O* **granizo** *era tão grande que quase quebrou a vidraça da janela.*

GRÃO (substantivo)

Semente de cereais: *O arroz, o feijão, o trigo, a soja são* **grãos**.

GRATIDÃO (gra-ti-*dão*) (substantivo)

Reconhecimento de um favor, agradecimento: *Por tudo o que fizeram por mim, minha eterna* **gratidão** *a meu pai e minha mãe*.

GRÁTIS (*grá*-tis) (advérbio)

De graça, que não custa nada: *Os idosos viajam* **grátis** *nos ônibus e trens do metrô*.

GRAVURA (gra-*vu*-ra) (substantivo)

Estampa, ilustração, figura: *O quadro na parede do meu quarto é a* **gravura** *de uma paisagem*.

GROSSO (*gros*-so) (adjetivo)

Que não é fino: *Lourenço é forte, tem braços* **grossos** *e musculosos*.
Sem educação: *Julinho não respeita ninguém, é muito* **grosso**.

GUINDASTE (guin-*das*-te) (substantivo)

Aparelho para levantar grandes pesos: *Foi preciso um* **guindaste** *para levantar o caminhão que tinha caído numa valeta*.

GUITARRA (gui-*tar*-ra) (*substantivo*)

Instrumento com caixa de ressonância de fundo chato e braço longo, geralmente com seis cordas: *A* **guitarra** *é dedilhável, quer dizer, toca-se com os dedos.*

GULOSO (gu-*lo*-so) (*adjetivo*)

Que come mais do que o necessário, comilão: *O* **guloso** *não come para viver; vive para comer.*

Hh

H (*substantivo*)
Oitava letra do abecedário ou alfabeto. Pode ser maiúsculo: H, ou minúsculo: h. O **h** é uma consoante.

HÁBIL (*há-bil*) (*adjetivo*)
Capaz, inteligente: *Lúcio é um menino **hábil**; tudo o que faz é sempre bem feito.*

HABITAÇÃO (ha-bi-ta-ção) (*substantivo*)
Casa, moradia, residência: *A **habitação** é o lugar no qual moramos.*

HÁBITO (*há-bi-to*) (*substantivo*)
Costume: *A boa educação combate os maus **hábitos**.*

HÁLITO (*há-li-to*) (*substantivo*)
Ar que sai pela boca: *Pessoa que não escova bem os dentes tem mau **hálito**.*

HASTE (*has-te*) (*substantivo*)
Pedaço de madeira, metal ou qualquer outro material a que se prende ou se apoia algo: *A bandeira é presa por uma **haste**.*
Parte da planta que sustenta os ramos e folhas: *A **haste** da planta chama-se caule.*

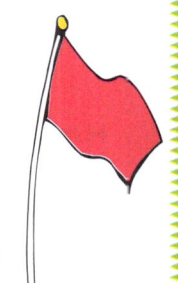

HELICÓPTERO (he-li-cóp-te-ro) (*substantivo*)

Aparelho de viação que se eleva no ar verticalmente, movido por hélices horizontais que giram sobre um eixo: *O* **helicóptero** *para no ar, movimenta-se para cima, para baixo, para a esquerda, para a direita e segue para a frente, em grande velocidade.*

HERANÇA (he-*ran*-ça) (*substantivo*)

Tudo o que se recebe com a morte de um parente (pai, mãe, avô, avó): *A casa onde moramos foi* **herança** *de meu avô.*

HERBÍVORO (her-*bí*-vo-ro) (*adjetivo*)

Que se alimenta de ervas ou de vegetais: *O elefante é um animal* **herbívoro**.

HERÓI (he-*rói*) (*substantivo*)

Pessoa que fica conhecida por qualquer ato de bravura: *O bombeiro arriscou a própria vida para salvar o menino; é um* **herói**.

HIGIENE (hi-gi-e-ne) (*substantivo*)

Asseio, limpeza, cuidados com o nosso corpo e o ambiente em que vivemos: *A falta de* **higiene** *é causa de muitas doenças.*

HINO (*hi*-no) (*substantivo*)

Canto com que se louva a Deus: **hino** *religioso*; ou à pátria: **hino** *nacional*.
Canto ou poesia em louvor de alguém ou de alguma coisa: **Hino** *ao amor*.

HIPOPÓTAMO (hi-po-*pó*-ta-mo) (*substantivo*)

Grande animal herbívoro: *Os* **hipopótamos** *vivem à margem dos rios e lagos da África.*

HISTÓRIA (his-*tó*-ria) (*substantivo*)

Narração de tudo o que aconteceu no passado de um povo, de um país: **História** *do Brasil.*
Conto, narrativa: *Das* **histórias** *que vovó contava a melhor é a do* Patinho Feio.
Invenção, mentira: *Deixe de* **histórias**, *não seja mentiroso.*

HOMEM (*ho*-mem) (*substantivo*)

Ser humano do sexo masculino, adulto: *Mário cresceu muito, já é um* **homem**.
Conjunto dos seres humanos (homens, mulheres, crianças): *O* **homem** *é um ser racional, quer dizer, raciocina, pensa.*

HONESTO (ho-*nes*-to) (*adjetivo*)

Que não rouba, não mente, não engana: *Tenho orgulho de meu pai, é um homem* **honesto**.

HORA (*ho*-ra) (*substantivo*)

Cada uma das 24 partes iguais em que se divide o dia: *A* **hora** *tem 60 minutos.*

HORIZONTE (ho-ri-*zon*-te) (*substantivo*)

Linha circular, imaginária, em que o céu parece se encontrar com a terra ou com o mar: *Ao entardecer o Sol desaparece na linha do* **horizonte**.

HORTA (*hor*-ta) (*substantivo*)
Terreno onde se cultivam legumes e verduras: *Os legumes e verduras cultivados na* **horta** *se chamam hortaliças.*

HÓSPEDE (*hós*-pe-de) (*substantivo*)
Pessoa que fica na casa de alguém, num hotel ou em outro lugar por pouco tempo: *Papai diz, orgulhoso, que já foi* **hóspede** *na casa do prefeito.*

HOSPITAL (hos-pi-*tal*) (*substantivo*)
Lugar onde pessoas doentes ou feridas recebem tratamento médico: *Quando Julinho quebrou o braço, seus pais o levaram a um* **hospital**.

HOTEL (ho-*tel*) (*substantivo*)
Estabelecimento onde se alugam quartos ou apartamentos mobiliados para hóspedes e viajantes: *Os* **hotéis** *mais luxuosos são chamados de cinco estrelas.*

HUMANO (hu-*ma*-no) (*adjetivo*)
Que se refere ao homem: *Todos nós somos seres* **humanos**.

HUMILDE (hu-*mil*-de) (*adjetivo*)
Que é simples, que não é orgulhoso: *Joãozinho é* **humilde**, *não vive contando vantagens.*
Pobre, sem recursos: *A favela é lugar de gente* **humilde**.

I i

I (*substantivo*)

Nona letra do abecedário ou alfabeto. Pode ser maiúsculo: I, ou minúsculo: i. O **i** é uma vogal (Veja essa palavra).

IDADE (i-*da*-de) (*substantivo*)

Número de anos de vida de uma pessoa, de um animal, de uma coisa qualquer: *Lúcia tem 12 anos, a mesma* **idade** *da escola em que estuda.*

IDEAL (i-de-*al*)

(*adjetivo*) De ótimas condições: *Este prédio é* **ideal** *para a instalação de um hotel.*

(*substantivo*) Aquilo que muito se deseja: *Matilde diz que o seu* **ideal** *é casar-se e ter muitos filhos.*

IDEIA (i-*dei*-a) (*substantivo*)

Palavra, imagem, desejo, plano ou projeto que aparece em nossa imaginação quando pensamos: *Estudar muito para passar de ano é uma boa* **ideia**.

IDÊNTICO (i-*dên*-ti-co) (*adjetivo*)

Igual, semelhante: *Os gêmeos são* **idênticos**, *mas têm algumas diferenças.*

19

IDIOMA (i-di-o-ma) (*substantivo*)

Língua de uma nação, de um povo, de uma região: *A língua portuguesa é o* **idioma** *do Brasil.*

IDOSO (i-*do*-so) (*adjetivo*)

Que tem muita idade, velho: *Respeitar o* **idoso** *é respeitar a nós mesmos (porque um dia também seremos* **idosos**).

IGNORAR (ig-no-*rar*) (*verbo*)

Não saber: *Sei que ele mudou, mas* **ignoro** *seu novo endereço.*

IGREJA (i-gre-ja) (*substantivo*)

Templo cristão: *Vamos à* **igreja** *para louvar a Deus*. O conjunto dos fiéis: *A* **Igreja** *católica* (com I maiúsculo).

ILEGAL (i-le-*gal*) (*adjetivo*)

Contrário à lei: *É* **ilegal** *vender bebidas alcoólicas a menores de idade.*

ILEGÍVEL (i-le-*gí*-vel) (*adjetivo*)

Que não se pode ler bem: *A letra de Lucinha é muito ruim; o que ela escreve é* **ilegível**.

ILHA (*i*-lha) (*substantivo*)

Porção de terra do fundo do mar, de um rio ou de um lago, que se eleva acima das águas: *Quando a* **ilha** *é num rio, chama-se* **ilha** *fluvial.*

ILUMINAR (i-lu-mi-*nar*) (*verbo*)

Clarear: *O Sol* **ilumina** *a Terra; a lâmpada elétrica* **ilumina** *a sala.*

IMAGINAÇÃO (i-ma-gi-na-*ção*) (*substantivo*)

Poder ou capacidade de pensar em coisas a partir de ideias: *Quem escreve romances tem muita* **imaginação**.

IMIGRANTE (i-mi-*gran*-te) (*substantivo*)

Pessoa que vai para um país qualquer e nele fica para morar e trabalhar: *O Brasil deve muito aos* **imigrantes** *italianos e japoneses.*

IMÓVEL (i-*mó*-vel)

(*adjetivo*) Que não se move, que não sai do lugar: *O beija-flor consegue ficar* **imóvel** *em pleno ar.*

(*substantivo*) Qualquer bem que não é móvel: *Terrenos, casas, apartamentos, sítios são* **imóveis**.

ÍMPAR (*ím*-par) (*adjetivo*)

Que não se divide perfeitamente por dois: *9 é um número* **ímpar** *(ao dividir-se por dois, sobra um).*

IMPEDIR (im-pe-*dir*) (*verbo*)

Não permitir, não deixar: *Emocionado, não consegui* **impedir** *as lágrimas.*

IMPERDOÁVEL (im-per-do-á-vel) (*adjetivo*)
Que não merece perdão: *Luís cometeu um erro* **imperdoável**.

IMPOSSÍVEL (im-pos-sí-vel) (*adjetivo*)
Que não se pode fazer: *Trabalho* **impossível**.
Que não pode acontecer: *É* **impossível** *viver sem respirar*.

INCÊNDIO (in-cên-dio) (*substantivo*)
Fogo que se espalha rapidamente:
Não solte balões, eles causam **incêndios**.

INCOLOR (in-co-*lor*) (*adjetivo*)
Sem cor: *A água pura é* **incolor** *e inodora (sem cheiro)*.

INCOMPREENSÍVEL (in-com-pre-en-sí-vel) (*adjetivo*)
Que não se pode compreender: *Pedrinho disse que a lição era* **incompreensível**.

INDIGESTÃO (in-di-ges-tão) (*substantivo*)
Mal-estar causado pelo mau funcionamento do aparelho digestivo: *Paulo comeu demais e teve* **indigestão**.

ÍNDIO (*ín*-dio) (*substantivo*)
Pessoa que vivia nas Américas ainda antes do seu descobrimento pelos navegadores da Espanha e Portugal: *Os* **índios** *brasileiros viviam em cabanas chamadas ocas e se alimentavam da caça e da pesca*.

INDÚSTRIA (in-*dús*-tria) (*substantivo*)

Conjunto de atividades para a produção de diversos objetos: **Indústria** *de automóveis*, **indústria** *de eletrodomésticos*, **indústria** *de papel etc.*

INFALÍVEL (in-fa-*lí*-vel) (*adjetivo*)

Que não falha, não erra: *As pessoas erram muito, só Deus é* **infalível**.

INFÂNCIA (in-*fân*-cia) (*substantivo*)

Período de vida que vai desde o nascimento até os 14 anos de idade: *Ao sair da* **infância** *a criança entra na adolescência*.

INFINITO (in-fi-*ni*-to) (*adjetivo*)

Que não tem fim nem limites, que nunca termina: *O firmamento ou céu é* **infinito**.
Que não se pode medir nem contar: *É* **infinito** *o número de estrelas*.

INFORMÁTICA (in-for-*má*-ti-ca) (*substantivo*)

Ciência que trata a informação por meio do uso de computadores: *Hoje é preciso estudar* **informática** *para ter um bom emprego*.

INJUSTO (in-*jus*-to) (*adjetivo*)

Que não está de acordo com a justiça, com o que é direito: *Não julgo ninguém porque tenho medo de ser* **injusto**.

INOCENTE (i-no-cen-te) (*adjetivo*)
Que não cometeu erro, que não é culpado: *O acusado foi absolvido porque era* **inocente**.
Puro, simples: *As criancinhas não têm maldade, são* **inocentes**.

INSETICIDA (in-se-ti-ci-da) (*substantivo*)
Preparado com que se matam insetos: *Usa-se* **inseticida** *para combater os insetos chamados nocivos: baratas, pernilongos, moscas, mosquitos, cupins, gafanhotos.*

INSETO (in-se-to) (*substantivo*)
Animal sem esqueleto, com duas antenas e seis pernas, uns com asas (por exemplo, as moscas), outros sem elas (por exemplo, as formigas): *As abelhas, as borboletas, as cigarras, os vaga-lumes, os louva-a-deus são* **insetos**.

INSTRUMENTO (ins-tru-men-to) (*substantivo*)
Utensílio que serve para executar um trabalho: *Existem* **instrumentos** *simples (como o martelo, a faca) e de manejo mais difícil (como o torno mecânico, o computador). Existem ainda os que produzem sons, os* **instrumentos** *musicais: o piano, o violino, a guitarra, o pandeiro etc.*

INTELIGÊNCIA (in-te-li-gên-cia) (*substantivo*)
Capacidade de entender, de conhecer: *As pessoas têm* **inteligência,** *são inteligentes*.

INTERPLANETÁRIO (in-ter-pla-ne-*tá*-rio) (*adjetivo*)

Entre planetas: *Uma nave que sai da Terra em direção ao planeta Marte realiza uma viagem* **interplanetária**.

INTESTINO (in-tes-*ti*-no) (*substantivo*)

Tubo com várias dobras que se encontra no interior do nosso abdome: *O* **intestino** *trata a parte dos alimentos de que o corpo precisa e expulsa o resto pelo ânus, na forma de fezes.*

INUNDAÇÃO (i-nun-da-*ção*) (*substantivo*)

Violenta invasão das águas da chuva, que faz os rios transbordarem: *A* **inundação** *alagou as ruas da cidade e parou o trânsito.*

INVASÃO (in-va-*são*) (*substantivo*)

Ato de invadir, de entrar à força em algum lugar: *As guerras, geralmente, começam pela* **invasão** *de um país por outro.*

INVENCÍVEL (in-ven-*cí*-vel) (*adjetivo*)

Que não pode ser vencido: *Todos dizem que o seu time é* **invencível**.

INVERNO (in-*ver*-no) (*substantivo*)

Estação do ano, entre o outono e a primavera, e que no Brasil vai de 21 de junho a 22 de setembro: *No* **inverno** *o tempo é frio porque a Terra está mais distante do Sol.*

INVERTEBRADO (in-ver-te-*bra*-do) (*adjetivo*)

Que não tem coluna vertebral nem ossos: *Os insetos são animais* **invertebrados**.

INVISÍVEL (in-vi-*sí*-vel) (*adjetivo*)

Que não pode ser visto: *Os micróbios são* **invisíveis**, *precisam ser observados através de um aparelho chamado microscópio.*

IOIÔ (io-*iô*) (*substantivo*)

Brinquedo feito de dois discos unidos por um pequeno eixo, em torno do qual se enrola um fio que, puxado repetidas vezes, faz o **ioiô** subir e descer.

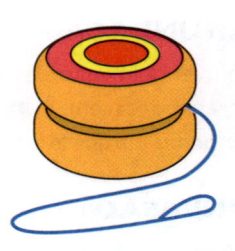

IRMÃO (ir-*mão*) (*substantivo*)

Pessoa do sexo masculino que tem, em relação a outra ou outras pessoas, o mesmo pai e a mesma mãe: *São também* **irmãos** *os que têm só o mesmo pai ou só a mesma mãe.*

ISOLAR (i-so-*lar*) (*verbo*)

Separar, afastar: *Lúcio se* **isolou** *dos colegas e foi brincar sozinho.*

ITINERÁRIO (i-ti-ne-*rá*-rio) (*substantivo*)

Indicação de caminho que se deve seguir, percurso: *O* **itinerário** *do ônibus, do trem, do avião, do navio.*

J j

J (*substantivo*)

Décima letra do abecedário ou alfabeto. Pode ser maiúsculo: J, ou minúsculo: j. O **j** é uma consoante (Veja essa palavra).

JABUTI (ja-bu-*ti*) (*substantivo*)

Espécie de tartaruga; também chamado cágado: *A fêmea do **jabuti** é a jabota.*

JACARÉ (ja-ca-*ré*) (*substantivo*)

Réptil que vive em rios e lagos, a cuja pele dura dão o nome de couro: *Do couro do **jacaré** se fazem sapatos e bolsas.*

JAMAIS (ja-*mais*) (*advérbio*)

Nunca, em tempo algum: ***Jamais** desista de estudar.*

JANEIRO (ja-*nei*-ro) (*substantivo*)

Primeiro mês do ano, entre dezembro do ano anterior e fevereiro, com 31 dias: *Em 1º de **janeiro** festeja-se a entrada do Ano-Novo.*

JANGADA (jan-*ga*-da) (*substantivo*)
Embarcação feita com paus roliços amarrados uns nos outros; possui um mastro no qual se prende a vela em que o vento bate para movimentá-la: *Quem dirige a **jangada** é o jangadeiro.*

JANTAR (jan-*tar*)
(*substantivo*) Refeição que se faz à tarde, no começo da noite: *É melhor dizer **o jantar**, em vez de **a Janta**.*
(*verbo*) Comer o **jantar**: *Toninho **jantou** e foi ao cinema.*

JARDIM (jar-*dim*) (*substantivo*)
Onde se cultivam flores e diversas plantas: *Aquele que cuida do **jardim** é o jardineiro.*

JARRA (*jar*-ra) (*substantivo*)
Vaso para conter água ou flores: *A **jarra** de água fica na geladeira; a de flores, sobre a mesa da sala.*

JAULA (*jau*-la) (*substantivo*)
Grande gaiola com grades de ferro, em que ficam presos animais ferozes: *Leninha teve medo quando lhe disseram que o leão do circo poderia fugir da **jaula**.*

JEGUE (*je*-gue) (*substantivo*)
Jumento, burrico: *O **jegue** é um animal de carga muito utilizado em regiões áridas.*

JOÃO-DE-BARRO (jo-ão-de-*bar*-ro) (*substantivo*)
Pássaro que constrói seu ninho com o barro que ele mesmo amassa: *O* **joão-de-barro** *amassa o barro com os pezinhos e o bico.*

JOGO (*jo*-go) (*substantivo*)
Passatempo, diversão: **Jogo** *de xadrez,* **jogo** *de damas,* **jogo** *de cartas.*
Partida entre duas equipes de futebol, basquetebol, voleibol etc. ou entre duas pessoas: **jogo** *de tênis,* **jogo** *de braços.* O **jogo** que só depende da sorte chama-se **jogo** de azar: *o* **jogo** *do bicho, as loterias, o bingo.*

JOIA (*joi*-a) (*substantivo*)
Objeto de matéria preciosa (ouro, prata ou pedraria): *São* **joias** *os anéis, as pulseiras, os colares e correntes de pescoço, os brincos etc.*
Coisa ou pessoa de grande valor: *Meu carro é uma* **joia**; *Samira é boníssima, uma* **joia**.

JOVEM (*jo*-vem)
(*substantivo*) Moço ou moça que está na juventude: *Lino é um* **jovem** *de muito talento.*
(*adjetivo*) De pouca idade: *Uma mulher ainda* **jovem**.

JUIZ (ju-*iz*) (*substantivo*)
Magistrado que faz cumprir a lei: *O* **juiz** *condenou o homem considerado culpado a dois anos de prisão.*
Pessoa que apita jogos, árbitro: *O* **juiz** *apitou bem o jogo entre o Brasil e a Argentina.*

JULHO (*ju*-lho) (*substantivo*)
Sétimo mês do ano, entre junho e agosto, com 31 dias:
Julho *é o mês das férias escolares.*

JUNHO (*ju*-nho) (*substantivo*)
Sexto mês do ano, entre maio e julho, com 30 dias:
Em **junho** *realizam-se as festas juninas, em comemoração aos dias de Santo Antônio, São João e São Pedro.*

JURAR (ju-*rar*) (*verbo*)
Afirmar seriamente que vai fazer o que prometeu:
Juro *que não direi a ninguém o que você me contou.*

JUVENTUDE (ju-ven-*tu*-de) (*substantivo*)
Mocidade, tempo em que se é jovem: *Na velhice todos têm saudade da* **juventude**.

K k

K (*substantivo*)
Décima primeira letra do abecedário ou alfabeto. Pode ser maiúsculo: K, ou minúsculo: k. O **k** é uma consoante (Veja essa palavra).

KART (*kart*) (*substantivo*)
Pequeno carro de corrida: *Ayrton Senna pilotava* **kart** *antes de ser um campeão na Fórmula 1.*

KETCHUP (*ketch-up*) (*substantivo*)
Molho temperado feito de tomate e com sabor levemente adocicado: *Sanduíches e batatas fritas ficam mais gostosos com* **ketchup**.

KUNG FU (*kung fu*) (*substantivo*)
Arte marcial chinesa: *No* **kung fu** *também se aprendem disciplina, persistência e respeito.*

L l

L (*substantivo*)

Décima segunda letra do abecedário ou alfabeto.
Pode ser maiúsculo: L, ou minúsculo: l. O **l** é uma consoante (Veja essa palavra).

LÃ (*substantivo*)

Pelo de ovelha ou de carneiro com o qual se fabrica um tecido que nos aquece no tempo frio: *O bebê usava sapatinhos de lã.*

LÁBIO (*lá-bio*) (*substantivo*)

Cada uma das duas partes carnudas que formam a abertura da boca: *As mulheres usam batom para pintar os lábios.*

LABORATÓRIO (la-bo-ra-*tó*-rio) (*substantivo*)

Lugar em que são feitas experiências científicas, análises clínicas e químicas, exames de sangue, de urina, de fezes etc.: *Papai foi ao laboratório buscar o resultado dos exames da mamãe.*

LACRIMEJAR (la-cri-me-*jar*) (*verbo*)

Derramar lágrimas: *Mariazinha é chorona, por quase nada seus olhos lacrimejam.*

LADRÃO (la-*drão*) (*substantivo*)
Pessoa que furta ou rouba, que se apodera de coisas alheias: *O feminino de* **ladrão** *é ladra*.

LAGARTO (la-*gar*-to) (*substantivo*)
Réptil de pele escamosa, isto é, com escamas: *Os* **lagartos** *gostam de tomar banho de sol*.
Corte de carne bovina: *Mamãe mandou Julinha comprar dois quilos de* **lagarto**.

LANCHE (*lan*-che) (*substantivo*)
Pequena refeição que geralmente se faz entre o almoço e o jantar: *Nosso* **lanche** *foi café com leite, pão, presunto e queijo*.

LÁPIS (*lá*-pis) (*substantivo*)
Cilindro fininho e comprido de grafite dentro de um cilindro de madeira do mesmo comprimento, e que se usa para escrever e desenhar: *A palavra* **lápis** *não varia; dizemos o* **lápis**, *os* **lápis**.

LARANJA (la-*ran*-ja) (*substantivo*)
Fruto da árvore chamada laranjeira: *Paula gosta de laranjada, que é suco de* **laranja** *com água e açúcar; Inês prefere suco de* **laranja** *ao natural*.

LATICÍNIO (la-ti-cí-nio) (*substantivo*)
Produto alimentício que se faz com o leite: *O queijo, a manteiga, o iogurte são **laticínios**.*

LAVAR (la-*var*) (*verbo*)
Banhar com água, ou com qualquer líquido, para limpar e desinfetar: *É bom para a saúde sempre **lavar** as mãos.*

LAVOURA (la-*vou*-ra) (*substantivo*)
Preparação da terra para receber sementes: *Os bons frutos dependem de uma boa **lavoura**.*
Plantio, plantação: *A **lavoura** do café foi muito importante para o Brasil.*

LAVRADOR (la-vra-*dor*) (*substantivo*)
Pessoa que trabalha na lavoura: *Meu avô foi **lavrador** e minha avó, **lavradora**; eram de uma família de **lavradores**.*

LEÃO (le-*ão*) (*substantivo*)
Animal mamífero carnívoro (alimenta-se de carne), de grande tamanho (chega a pesar mais de 200 quilos) e com uma grande porção de pelos (juba) ao redor do pescoço: *O **leão** é um dos mais belos e ferozes animais selvagens, e por isso é chamado o rei das selvas.*

LEGÍVEL (le-*gí*-vel) (*adjetivo*)
Que se pode ler: *Escrita* **legível**.

LEGUME (le-*gu*-me) (*substantivo*)
Fruto das plantas chamadas leguminosas: *São* **legumes** *o pimentão, a cenoura, a mandioquinha, o brócolis, o chuchu etc.*

LEI (*substantivo*)
Preceito (regra, norma, modelo) a que se deve obedecer sem condições: *As* **leis** *existem para a boa ordem política e social.* Regra imutável estabelecida por Deus: *As* **leis** *da Natureza.*

LEILÃO (lei-*lão*) (*substantivo*)
Apresentação de objetos que serão vendidos a quem, dentre um grupo de pessoas, pagar mais: *Temos em casa um lindo vaso chinês que papai adquiriu num* **leilão**.

LEITE (*lei*-te) (*substantivo*)
Líquido branco e espesso dado pelas fêmeas dos animais mamíferos: *O melhor alimento para os bebês é o* **leite** *de suas mães, chamado* **leite** *materno.*

LEMBRANÇA (lem-*bran*-ça) (*substantivo*)
Aquilo que fica em nossa cabeça, em nossa memória: *Guardo boa* **lembrança** *dos dias da minha infância.* Presente, dádiva: *No cartão do presente estava escrito: Ofereço a você esta* **lembrança** *como prova de minha amizade.*

LENDA (*len*-da) (*substantivo*)

História inventada pelo povo, e que uns vão contando para outros através do tempo: *As* **lendas** *fazem parte do folclore* (Veja essa palavra).

LENHA (*le*-nha) (*substantivo*)

Pedaços de madeira para queimar: *Nas grandes cidades já quase não existem os fogões a* **lenha**.

LEOPARDO (le-o-*par*-do) (*substantivo*)

Grande animal mamífero carnívoro, de pelo amarelo com manchas negras: *O* **leopardo** *também se chama pantera*.

LER (*verbo*)

Passar a vista pelo que está escrito e entender o que dizem as palavras: *Julinho tem só quatro anos e já sabe* **ler**.

LETRA (*le*-tra) (*substantivo*)

Cada um dos sinais escritos que representam os sons da fala e formam o abecedário ou alfabeto: *As* **letras** *são as vogais e consoantes que se juntam para formar as palavras e frases*.

LEVANTAR (le-van-*tar*) (*verbo*)

Pôr no alto, erguer: *No esporte chamado halterofilismo os atletas* **levantam** *pesos enormes*.

LEVAR (le-*var*) (*verbo*)

Fazer passar de um para outro lugar, transportar: *Aquele avião **leva** mais de trezentas pessoas.*

LIBERDADE (li-ber-*da*-de) (*substantivo*)

Direito de uma pessoa fazer ou não fazer o que quiser, mas de acordo com a lei: *A pessoa que não obedece à lei, furta e rouba, vai para a prisão, perde a **liberdade**.*

LIÇÃO (li-*ção*) (*substantivo*)

Matéria que o aluno deve estudar: *Marilu não consegue entender a **lição** porque é preguiçosa e não estuda.*
O que serve de aviso ou exemplo: *Marta caiu e aprendeu a **lição**, agora anda devagar.*

LÍDER (*lí*-der) (*substantivo*)

Chefe, guia: *Antônio Maria é o **líder** da nossa turma.*
O que está em primeiro lugar: *Ayrton Senna era sempre o **líder** da Fórmula 1.*

LIGEIRO (li-*gei*-ro) (*adjetivo*)

Rápido, veloz: *O carro de meu tio é mais **ligeiro** que o de papai.*
Leve, não muito forte: *Pedrinho teve uma **ligeira** dor de cabeça.*

LIMÃO (li-*mão*) (*substantivo*)

Fruto da árvore chamada limoeiro: *O **limão** é azedo, mas com água e açúcar dá a gostosa limonada.*

LIMPAR (lim-*par*) (*verbo*)
Tirar a sujeira, as manchas, o pó: **Limpar** *é deixar limpo o que estava sujo.*

LÍNGUA (*lín*-gua) (*substantivo*)
Músculo achatado que fica dentro da boca: *A* **língua** *ajuda-nos a engolir os alimentos; com ela sentimos o gosto do que comemos e bebemos, com ela falamos.*
Idioma de um país: *No Brasil falamos a* **língua** *portuguesa.*

LÍQUIDO (*lí*-qui-do) (*substantivo*)
Corpo que flui, que se esparrama, como a água, o leite, o refrigerante: *O* **líquido** *não tem forma própria; se estiver numa garrafa, toma a forma da garrafa; se estiver num vaso, toma a do vaso.*

LITORAL (li-to-*ral*) (*substantivo*)
Faixa de terra à beira do mar, beira-mar: *As praias ficam no* **litoral**.

LIVRE (*li*-vre) (*adjetivo*)
Que tem liberdade, que faz só o que quer fazer: *Somos* **livres** *para fazer, mas somos responsáveis pelo que fazemos.*
Absolvido, solto: *Ele esteve na prisão, mas foi absolvido e agora está* **livre**.
Que não é proibido: *Nesta rua o trânsito é* **livre**.

LIVRO (li-vro) (substantivo)
Reunião de folhas de papel em que se imprimiram textos, numeradas e costuradas em cadernos que se colaram em capas de cartão ou papelão: *O escritor Monteiro Lobato disse que "um país se faz com homens e **livros**".*

LIXO (li-xo) (substantivo)
Tudo o que se joga fora porque não presta para nada: *O homem que trabalha no recolhimento de **lixo** é o lixeiro.*

LOBISOMEM (lo-bi-so-mem) (substantivo)
Lenda do homem que vira lobo nas noites de Lua cheia: *O **lobisomem** é uma das crendices do folclore; na verdade, não existe.*

LOBO (lo-bo) (substantivo)
Animal mamífero carnívoro, parecido com o cachorro, de pelo cinzento e geralmente feroz: *O cachorro late, o **lobo** uiva.*

LOCALIZAR (lo-ca-li-zar) (verbo)
Indicar ou descobrir onde se encontra uma pessoa ou coisa: *O professor mandou Estêvão **localizar** a ilha de Marajó no mapa do Brasil.*

LOCOMOTIVA (lo-co-mo-*ti*-va) (*substantivo*)

Máquina que puxa os vagões do trem, nas estradas de ferro: As **locomotivas** *modernas são movidas a eletricidade.*

LOJA (*lo*-ja) (*substantivo*)

Onde se vendem mercadorias: *As* **lojas** *podem ser de roupas, de sapatos, de malas e bolsas, de eletrodomésticos, de brinquedos etc.*

LONGE (*lon*-ge) (*advérbio*)

Que está a grande distância: *Ando muito porque a escola é bem* **longe** *de minha casa.*
Que passou, distante no tempo: *Já vão* **longe** *as alegrias da minha infância.*

LONGO (*lon*-go) (*adjetivo*)

Comprido: *Temos um* **longo** *caminho a percorrer daqui até a cidade.*
Demorado: *Vovô conta* **longas** *histórias sobre a sua juventude.*

LOTAR (lo-*tar*) (*verbo*)

Encher: *O jogo era importante, os espectadores* **lotaram** *o estádio.*

LOUÇA (*lou*-ça) (*substantivo*)

Objeto de barro, de porcelana, de cerâmica: *Papai comprou uma máquina de lavar* **louças**.

LUA (*lu-a*) (substantivo)

Satélite que gira ao redor da Terra, da qual está a uma distância média de 384.403 quilômetros: *A **Lua** tem quatro fases: **Lua** nova (ela não aparece no céu); quarto crescente (ela começa a aparecer); **Lua** cheia (está toda iluminada) e quarto minguante (está começando a desaparecer).*

LUTAR (lu-*tar*) (verbo)

Combater: *O valentão desafiou o colega para **lutar** e apanhou!* Esforçar-se para conseguir, trabalhar muito: *Para vencer na vida, é preciso **lutar**.*

LUZ (substantivo)

O que produz claridade e torna as coisas visíveis: *Graças à **luz** (do sol, da vela, da lâmpada elétrica), podemos enxergar tudo ao nosso redor.*

Mm

M (*substantivo*)

Décima terceira letra do abecedário ou alfabeto. Pode ser maiúscula: M, ou minúscula: m. O **m** é uma consoante (Veja essa palavra).

MAÇÃ (ma-*çã*) (*substantivo*)

Fruto da árvore chamada macieira: *A **maçã** tem pele vermelha ou verde, lisa e brilhante, e sua polpa é rica em vitaminas.*

MACACO (ma-*ca*-co) (*substantivo*)

Animal mamífero, do qual existem muitas espécies: *Os **macacos** são peludos e muito espertos; pulam de galho em galho e gostam de bananas.*

MACHADO (ma-*cha*-do) (*substantivo*)

Instrumento para rachar lenha ou cortar madeira, o qual consiste numa cunha de ferro afiada encaixada num cabo de madeira: *O lenhador derrubou a árvore a golpes de **machado**.*

MACHO (*ma*-cho) (*substantivo*)

Animal do sexo masculino (também o homem): *O galo é o **macho** da galinha.*

MACHUCAR (ma-chu-*car*) (*verbo*)
Ferir: *Cuidado com essa faca, não vá se* **machucar**.

MADEIRA (ma-*dei*-ra) (*substantivo*)
Parte da árvore (principalmente o tronco) que é transformada em tábuas, ripas, chaves, vigas, caibros: *Com a* **madeira** *se fabricam móveis e se constroem casas, edifícios, embarcações.*

MADRUGADA (ma-dru-*ga*-da) (*substantivo*)
Primeiras horas do dia, antes do amanhecer:
A **madrugada** *também se chama alvorada e aurora.*

MÃE (*substantivo*)
Mulher que teve um ou muitos filhos: *No segundo domingo do mês de maio comemora-se o Dia das* **Mães**.
Fêmea do animal de que nasceram filhotes: *A* **mãe** *pata cuida bem dos seus patinhos.*

MAESTRO (ma-es-tro) (*substantivo*)
Pessoa que dirige os músicos de uma orquestra, de uma banda, ou os cantores de um coral: *O* **maestro** *também é chamado regente.*

MÁGICO (*má*-gi-co)
(*substantivo*) Aquele que faz mágicas ou truques que só ele sabe como é que se fazem: *O* **mágico** *tira coelhos e pombos da sua cartola.*

(*adjetivo*) Que tem encantos e poderes: *Na história de Branca de Neve a rainha má conversa com um espelho* **mágico**.

MAGRO (*ma*-gro) (*adjetivo*)

Que tem pouca gordura:
A mãe do Arnaldinho vive se queixando de que o filho é **magro** *porque não come bastante.*

MAIO (*mai*-o) (*substantivo*)

Quinto mês do ano, entre abril e junho, com 31 dias:
No segundo domingo de **maio** *comemoramos o Dia das Mães.*

MAIÚSCULO (mai-*ús*-cu-lo) (*adjetivo*)

Grande: *Usa-se letra* **maiúscula** *quando se começa uma frase e no início dos nomes próprios.*

MAL (*substantivo*)

O que prejudica ou fere, o que não é honesto, tudo o que é contrário ao bem: *Na oração do Pai-nosso pedimos a Deus que nos livres do* **mal**.

MALA (*ma*-la) (*substantivo*)

Caixa de couro, de lona, de madeira, com alça, para o transporte de roupas e objetos de uso pessoal: *As* **malas** *de viagem são grandes e espaçosas.*

MALCRIADO (mal-cri-*a*-do) (*adjetivo*)

Sem educação, grosseiro, teimoso, briguento: *Lino é inteligente, um dos primeiros da classe, mas é muito* **malcriado**.

MALTRATAR (mal-tra-*tar*) (*verbo*)
Tratar com dureza, com violência: *Não se deve* **maltratar** *ninguém*.

MAMADEIRA (ma-ma-*dei*-ra) (*substantivo*)
Garrafinha de vidro ou de plástico, com uma chupeta na ponta, com a qual se dá leite ao bebê: *As criancinhas também tomam suco na* **mamadeira**.

MAMÍFERO (ma-*mí*-fe-ro) (*substantivo*)
Animal que mama, que se alimenta com o leite da mãe: *O gato, o cão, a ovelha, o boi, a baleia, o morcego são* **mamíferos**; *nós também somos* **mamíferos**.

MANADA (ma-*na*-da) (*substantivo*)
Grupo de bois, cavalos ou elefantes: *O vaqueiro conduz, pelos campos, grandes* **manadas** *de bois*.

MANEQUIM (ma-ne-*quim*) (*substantivo*)
Boneco que representa a figura de um homem ou de uma mulher: *Nas lojas de roupas feitas usam-se* **manequins** *para a exibição de vestidos, ternos, camisas, nas vitrinas*.

MANGA (*man*-ga) (*substantivo*)
Fruto da árvore chamada mangueira: *No sítio do pai, Julinho chupa* **manga** *direto da mangueira*.

MANSO (*man*-so)

(*adjetivo*) Que não é bravo: *O cão de dona Matilde é* **manso**, *não morde ninguém.*
Sereno, calmo: *Podemos nadar à vontade, hoje o mar está* **manso**, *quase sem ondas.*
(*advérbio*) Devagar: *Ele entrou pisando* **manso**.

MANTIMENTO (man-ti-*men*-to) (*substantivo*)
Alimento, comida: *No supermercado mamãe compra* **mantimentos** *para o mês inteiro.*

MÃO (*substantivo*)
Porção do nosso corpo, no final do braço: *A* **mão** *tem a palma (a parte de baixo), o dorso (a parte de cima) e cinco dedos terminados em unhas.*
Auxílio, ajuda: *Para mudar o móvel de lugar José pediu ao primo que lhe desse uma* **mão**.
Lado direito, e via de tráfego a favor de quem dirige um veículo: *Não vá por aí, essa rua não é* **mão**.

MAPA (*ma*-pa) (*substantivo*)
Desenho e dizeres que representam uma parte da Terra ou do céu: **Mapa** *do Brasil,* **mapa** *das constelações.*

MAPA-MÚNDI (*ma*-pa-*mún*-di) (*substantivo*)
Mapa que representa o mundo inteiro: *Luisinho ganhou do pai um* **mapa-múndi** *num globo luminoso.*

MÁQUINA (má-qui-na) (substantivo)
Aparelho com o qual se realizam trabalhos: As **máquinas** podem ser elétricas ou eletrônicas (como a televisão, o computador), a vapor (como algumas locomotivas), movidas por motores (como os automóveis) etc.

MAR (substantivo)
Grande porção de água salgada que cobre a maior parte (3/4) da superfície da Terra: Quando são muito extensos e separam continentes, os **mares** se chamam oceanos.

MARACUJÁ (ma-ra-cu-já) (substantivo)
Fruto da planta trepadeira chamada maracujazeiro: O **maracujá** é azedinho, mas fica gostoso comido com açúcar, ou feito suco, musse, geleia, bolo.

MARAVILHOSO (ma-ra-vi-lho-so) (adjetivo)
Que causa grande admiração, prazer, satisfação: Foi um espetáculo **maravilhoso**.

MARCAR (mar-car) (verbo)
Pôr sinal em alguma coisa: João **marcou** com um X a resposta certa.
Indicar: Nos relógios de ponto os funcionários **marcam** a hora em que entram e saem.
Combinar: **Marcar** um encontro, uma entrevista.
No futebol, fazer gol: No último jogo do Brasil Ronaldinho **marcou** dois gols.

MARÇO (*mar-ço*) (*substantivo*)

Terceiro mês do ano, entre fevereiro e abril, com 31 dias: *No dia 21 de* **março** *inicia-se o outono.*

MARÉ (*ma-ré*) (*substantivo*)

Movimento das águas do mar, para cima (**maré** *alta ou preamar),* e para baixo (**maré** *baixa ou baixa-mar*).

MARFIM (*mar-fim*) (*substantivo*)

Substância dura e branca que se encontra nos dentes dos mamíferos, e com a qual se fazem vários objetos: *É de grande valor o* **marfim** *dos dentes do elefante.*

MARINHO (*ma-ri-nho*) (*adjetivo*)

Que se refere ou que pertence ao mar: *Os maiores animais* **marinhos** *são as baleias.*

MÁRMORE (*már-mo-re*) (*substantivo*)

Pedra dura e brilhante usada em construções de casas e edifícios, e com a qual os escultores fazem estátuas e monumentos: *O* **mármore** *é muito usado em obras artísticas porque dura muito.*

MARSUPIAL (*mar-su-pi-al*) (*substantivo*)

Animal cuja fêmea tem no abdome uma bolsa, dentro da qual carrega o filhote que ainda mama: *O mais conhecido dos* **marsupiais** *é o canguru.*

MARTELO (mar-*te*-lo) (*substantivo*)

Instrumento de ferro, com cabo, usado para pregar pregos, bater, amassar, quebrar: *Papai deu um pulo e um grito quando foi pregar um prego na parede e o* **martelo** *pegou o dedo dele.*

MÁSCARA (*más*-ca-ra) (*substantivo*)

Objeto que representa uma cara, ou parte de uma cara, e que se usa no rosto como disfarce: *Ninguém reconheceu Zezinho com aquela* **máscara** *de leão.*

MASCOTE (mas-*co*-te) (*substantivo*)

Objeto, animal ou pessoa que parece trazer boa sorte: *Pedro diz que o cachorrinho que ganhou do pai é o seu* **mascote**.

MASTIGAR (mas-ti-*gar*) (*verbo*)

Quebrar e amassar com os dentes: *Deve-se* **mastigar** *bem os alimentos para ter boa digestão (e saúde!).*

MATEMÁTICA (ma-te-*má*-ti-ca) (*substantivo*)

Estudo dos números e das figuras geométricas: *Quem sabe* **matemática** *é bom em física, em química, em engenharia, em arquitetura, em informática.*

MATRIMÔNIO (ma-tri-*mô*-nio) (*substantivo*)

Casamento: União de um homem e uma mulher diante de um juiz de paz (**matrimônio** civil) ou diante de um padre, de um pastor (**matrimônio** religioso).

MEDALHA (me-*da*-lha) (*substantivo*)

Peça de metal em que se imprimiu uma imagem, uma frase, uma data comemorativa etc., e que se entrega a alguém que se saiu muito bem nos estudos, nos esportes, na política etc.: *Primeiro na corrida dos cem metros, Irineu ganhou uma linda **medalha** de ouro.*

MÉDICO (*mé*-di-co) (*substantivo*)

Aquele que se formou em Medicina para cuidar de pessoas doentes ou feridas: *Os **médicos** trabalham nos seus consultórios, nos hospitais, nas clínicas, sempre aliviando a dor e o sofrimento.*

MEDO (*me*-do) (*substantivo*)

Sentimento de insegurança que faz a pessoa suar frio, tremer, não dormir, chorar: *Parece mentira, mas o Mário, já grandalhão, tem **medo** do escuro.*

MEL (*substantivo*)

Substância que as abelhas produzem com o néctar das flores: *O **mel** é um líquido espesso, amarelo, muito doce e nutritivo.*

MELANCIA (me-lan-ci-a) (*substantivo*)

Fruto grande, de casca grossa verde-claro ou verde-escuro, quase sempre com listras mais claras: *A polpa da* **melancia** *é vermelha, macia, refrescante e de sabor delicioso.*

MENSAL (men-sal) (*adjetivo*)

Que dura um mês: *Moramos numa casa pela qual papai paga um aluguel* **mensal**.
Que se faz uma vez por mês: *Tadeu não foi muito bem na prova* **mensal** *de matemática.*

MERENDA (me-ren-da) (*substantivo*)

Refeição ligeira, lanche: *Em nossa casa tomamos a* **merenda** *às três horas da tarde.*
Refeição escolar: *Para alguns alunos pobres, a* **merenda** *escolar é a principal refeição do dia.*

MÊS (*substantivo*)

Espaço de trinta dias: *O ano tem doze* **meses**: *janeiro, fevereiro, março, abril, maio, junho, julho, agosto, setembro, outubro, novembro e dezembro.*

MESA (me-sa) (*substantivo*)

Móvel em cima do qual se põe alguma coisa; usa-se principalmente para se tomarem as refeições: *Em nossa casa cada um tem seu lugar à* **mesa**: *à cabeceira senta-se papai e, em frente dele, a mamãe.*

MESTRE (mes-tre) (*substantivo*)

Professor: *Todos os meses realiza-se em nossa escola a reunião de pais e* **mestres**.

METADE (me-*ta*-de) (*substantivo*)

Cada uma das duas partes iguais de um todo que se dividiu bem ao meio: *Otávio dividiu a maçã com seu irmão, uma* **metade** *para cada um*.

METAL (me-*tal*) (*substantivo*)

Mineral brilhante, que pode ser amassado, torcido, transformado em fio, sem se quebrar: *O ouro e a prata são* **metais** *preciosos; o mercúrio é um* **metal** *líquido; o bronze é a mistura de dois outros* **metais**, *o cobre e o estanho*.

METRO (me-*tro*) (*substantivo*)

Unidade de medida: *Papai possui 1* **metro** *e 70 centímetros de altura*. Objeto que se usa para medir o comprimento, a altura e a largura do que quer que seja: *O* **metro** *se divide em cem centímetros e mil milímetros*.

METRÔ (me-*trô*) (*substantivo*)

Trem elétrico subterrâneo (anda debaixo da terra) e de superfície (também anda em cima da terra), que transporta milhões de pessoas de um bairro para outro: **Metrô** *é uma redução da palavra* **metropolitano**, *porque esse tipo de trem só é usado nas metrópoles, ou cidades*.

153

MICRÓBIO (mi-*cró*-bio) (*substantivo*)
Animal ou vegetal quase invisível (de tão pequeno que é) e que só se pode enxergar através do microscópio: *Muitas doenças e infecções são causadas por* **micróbios**.

MICROSCÓPIO (mi-cros-*có*-pio) (*substantivo*)
Aparelho que tem uma lente de aumento muito poderosa: *Através do* **microscópio** *podemos enxergar os bichinhos chamados bactérias, germes, micróbios, vírus, que são invisíveis a olho nu.*

MILÊNIO (mi-*lê*-nio) (*substantivo*)
Espaço de mil anos: *Nosso professor disse que o terceiro* **milênio** *é o que vai de 1º de janeiro de 2001 a 31 de dezembro de 3000.*

MILHO (*mi*-lho) (*substantivo*)
Planta que produz espigas cheias de grãos amarelos e muito nutritivos: *Come-se o* **milho** *cozido, feito pamonha, curau, doce, sorvete, e dele também se tira um ótimo óleo de cozinha.*

MINÚSCULO (mi-*nús*-cu-lo) (*adjetivo*)
Pequeno: *Letra* **minúscula**.
De pequeno tamanho, de forma muito pequena: *Era um carocinho* **minúsculo***, que quase não se podia ver.*

MINUTO (mi-*nu*-to) (*substantivo*)
Cada uma das 60 partes em que se divide a hora: *O* **minuto** *tem 60 segundos.*
Pequeno espaço de tempo: *Por favor, espere um* **minuto**.

MISÉRIA (mi-sé-ria) (*substantivo*)
Grande pobreza: *É muito triste viver na* **miséria**.

MODERNO (mo-*der*-no) (*adjetivo*)
Que é do nosso tempo: *Vovô não gosta de poesia nem de música* **modernas**.
Que está na moda: *O corte de cabelo do Anselmo é* **moderno**, *mas não me agrada*.

MOEDA (mo-e-da) (*substantivo*)
Peça de metal que representa um certo valor, nela indicado: 10 centavos, 50 centavos, 1 real: *Uma das faces da* **moeda** *se chama cara, e a outra, coroa*.

MOLUSCO (mo-*lus*-co) (*substantivo*)
Animal invertebrado, de corpo mole, que vive dentro de uma concha, ou é coberto por uma capa dura: *Os caracóis e as ostras são* **moluscos**.

MONSTRO (*mons*-tro) (*substantivo*)
Mistura de animal e gente, feio, estranho e que causa medo: *Os* **monstros** *não existem de verdade, são invenções dos escritores de histórias de terror*.

MONTANHA (mon-*ta*-nha) (*substantivo*)
Grande elevação de terra: *Uma das* **montanhas** *mais altas do mundo chama-se Everest e tem 8.840 metros de altura!*

MORCEGO (mor-ce-go) (*substantivo*)

Animal de orelhas compridas e duas asas, que vive em cavernas, das quais sai à noite para caçar os insetos com que se alimenta: *O **morcego** é o único mamífero que voa.*

MORDER (mor-*der*) (*verbo*)

Apertar ou ferir com os dentes: *Eduardo ouviu dizer que "cão que late não **morde**", mas não acreditou.*

MORTE (*mor*-te) (*substantivo*)

O fim da vida da gente, dos animais, dos vegetais: *Papai disse que a **morte** é o fim da vida do corpo e o começo da vida do espírito.*

MOSQUITO (mos-*qui*-to) (*substantivo*)

Inseto pequenino, de patas largas, que pica as pessoas porque se alimenta de sangue: *Leandro foi pescar e voltou todo picado por **mosquitos**.*

MOTOR (mo-*tor*) (*substantivo*)

Máquina que põe qualquer coisa em movimento: *Os automóveis, os aviões, as lanchas, os trens elétricos, a geladeira, o liquidificador, todos têm **motor** que os movimenta.*

MÓVEL (*mó*-vel) (*substantivo*)

Peça de mobília: *Todas as peças da casa que podem ser mudadas de lugar são **móveis**: a mesa, o sofá, a cadeira, a cama, o guarda-roupa etc.*

MUDAR (mu-*dar*) (*verbo*)
Ir para outro lugar: **Mudamos** *para um apartamento.*
Trocar: **Mudaram** *o nome da rua onde moramos.*
Alterar, ficar diferente: *Letícia* **mudou** *muito, agora é mais boazinha.*

MUDO (*mu*-do) (*adjetivo*)
Que não consegue falar: *As pessoas* **mudas** *usam gestos e sinais para se comunicarem.*
Calado, silencioso: *Sem saber o que falar, Lindolfo ficou* **mudo**.

MUITO (*mui*-to) (*pronome*)
Em grande quantidade: *A escola é frequentada por* **muitos** *alunos.*

MULHER (mu-*lher*) (*substantivo*)
Pessoa do sexo feminino: *Rosinha não é mais criança, já é uma* **mulher**.

MUNDIAL (mun-di-*al*) (*adjetivo*)
Que se refere ao mundo, que é do mundo inteiro: *Campeonato* **mundial** *de natação.*

MUNDO (*mun*-do) (*substantivo*)
Tudo o que existe, o Universo: *Deus criou o* **mundo**, *a luz, a vida.*
A Terra: *Este é o* **mundo** *em que vivemos.*
Muitas coisas, muita gente: *Papai é vendedor, conhece todo* **mundo**.

MUNICÍPIO (mu-ni-cí-pio) (*substantivo*)

Cada uma das divisões de um estado brasileiro: *O **município** é dirigido por um prefeito e uma Câmara de Vereadores.*

MURCHAR (mur-char) (*verbo*)

Perder a força, a cor, a beleza: *Depois de alguns dias as flores do vaso **murcharam**.*
Ficar vazio: *O pneu do carro **murchou**.*

MÚSCULO (mús-cu-lo) (*substantivo*)

Parte carnuda do nosso corpo e do corpo dos animais: *Com os **músculos** realizamos os movimentos corporais: andamos, corremos, pegamos, largamos, fazemos ginástica.*

MUSEU (mu-seu) (*substantivo*)

Onde se guardam obras de arte, objetos raros ou antigos, coleções científicas etc., para estudo ou para ser visitado pelo público: *As pessoas visitam os **museus** para se instruírem.*

MÚSICA (mú-si-ca) (*substantivo*)

Reunião de sons que produz efeito agradável aos nossos ouvidos: *Para compor **música** usamos as notas musicais: dó, ré, mi, fá, sol, lá, si.*

Nn

N (*substantivo*)

Décima quarta letra do abecedário ou alfabeto. Pode ser maiúscula: N, ou minúscula: n. O **n** é uma consoante (Veja essa palavra).

NAÇÃO (na-ção) (*substantivo*)

Conjunto dos habitantes de um país, que têm as mesmas tradições, os mesmos usos e costumes, falam o mesmo idioma e obedecem às mesmas leis: *Nós somos a **nação** brasileira.*
País: *O Brasil é uma das maiores **nações** do mundo.*

NADAR (na-dar) (*verbo*)

Mover-se na água com movimentos regulares dos braços e das pernas: *As crianças aprendem a **nadar** com grande facilidade.*

NARIZ (na-riz) (*substantivo*)

Parte saliente do rosto, entre a testa e a boca:
*O **nariz** é o órgão da respiração e do olfato.*

NARRAÇÃO (nar-ra-ção) (substantivo)

Exposição ou descrição de um fato, de um acontecimento: A **narração** *pode ser oral (expomos o fato falando) ou escrita.*

NASCER (nas-cer) (verbo)

Passar a ter vida, vir ao mundo: *Cuidado para não dizer "naicer"; a pronúncia correta é "nacer".*
Começar a brotar: *As flores* **nascem** *depressa.*
Começar a aparecer: *O Sol* **nasce** *no lugar chamado nascente.*

NATAÇÃO (na-ta-ção) (substantivo)

Ato de nadar. Esporte de quem sabe e gosta de nadar: *A* **natação** *faz muito bem à nossa saúde.*

NATAL (na-*tal*) (substantivo)

O dia 25 de dezembro, em que se comemora o nascimento de Jesus Cristo: *As comemorações do* **Natal** *chamam-se festas natalinas.*

NATUREZA (na-tu-re-za) (substantivo)

Conjunto de todas as coisas naturais que formam o universo: *A* **Natureza** *é o conjunto das pessoas, dos animais, das plantas, dos minerais, dos mares e rios, de tudo o que não foi feito pelo homem.*

NAUFRÁGIO (nau-*frá*-gio) (substantivo)

Afundamento de uma embarcação: *Muitas pessoas foram salvas do* **naufrágio** *daquele navio.*

NAVE (*na*-ve) (*substantivo*)

Veículo para a realização de viagens espaciais: *A primeira **nave** tripulada que desceu na Lua foi a Apolo II, em 20 de julho de 1969.*

NAVEGAÇÃO (na-ve-ga-*ção*) (*substantivo*)

Arte de navegar, quer dizer, de percorrer os mares (**navegação** *marítima*) e os rios (**navegação** *fluvial*).

NAVIO (na-*vi*-o) (*substantivo*)

Embarcação de grande tamanho: *Os **navios** transportam pessoas e cargas através dos mares e rios de todo o mundo.*

NEBLINA (ne-*bli*-na) (*substantivo*)

Vapor de água que se forma rente ao chão: *A **neblina** é uma nuvem esbranquiçada (parece uma fumaça) que atrapalha a visão dos motoristas.*

NECESSITAR (ne-ces-si-*tar*) (*verbo*)

Precisar de alguma coisa: **Necessito** *de sua ajuda.*

NÉCTAR (*néc*-tar) (*substantivo*)

Suco adoçicado a partir do qual as abelhas fazem o mel: *As abelhas tiram o **néctar** das flores e, com ele, fabricam o mel.*

NEGAR (ne-gar) (verbo)

Dizer que uma coisa não é verdadeira ou que não existe: *Os ateus são pessoas que **negam** a existência de Deus.*
Não permitir, não dar, recusar: *Não se deve **negar** ajuda aos pobres.*

NETO (ne-to) (substantivo)

Filho do filho do avô ou da avó: *Meu pai é filho do meu avô e da minha avó; por isso eu sou **neto** deles.*

NEVE (ne-ve) (substantivo)

Flocos brancos e leves de água congelada, que caem das nuvens quando faz muito frio: *A **neve** se forma nos países de clima frio.*

NINHO (ni-nho) (substantivo)

Casinha que as aves fazem para se abrigarem, e em que botam os ovos e criam os filhotes: *Os **ninhos** são feitos de pequenos ramos de árvore, pedacinhos de palha e até de barro (como o do pássaro que por isso se chama joão-de-barro).*

NOBRE (no-bre) (adjetivo)

Ilustre, notável, muito conhecido: *Papai escreveu uma carta para um antigo amigo que é um **nobre**.*
Generoso, que merece elogio: *Ao ajudar o cego a atravessar a rua, Paulinho realizou uma **nobre** ação.*

NOITE (*noi*-te) (*substantivo*)

Tempo durante o qual o Sol ilumina apenas o outro lado da Terra: *Sem a luz do Sol tudo fica na escuridão a que chamamos* **noite**.

NÔMADE (*nô*-ma-de) (*adjetivo*)

Que não tem habitação fixa, que não fica durante muito tempo num lugar: *Os ciganos são povos* **nômades**.

NOME (*no*-me) (*substantivo*)

Palavra com que indicamos uma pessoa, um animal ou uma coisa qualquer: *Existem* **nomes** *próprios, que são os* **nomes** *de pessoas, nações, povoações, montes, mares, rios etc., e os* **nomes** *comuns, que são os* **nomes** *dos animais e das coisas*.

NORDESTINO (nor-des-*ti*-no) (*adjetivo*)

Pessoa que nasceu na Região Nordeste do Brasil, formada pelos estados de Alagoas, Bahia, Ceará, Maranhão, Paraíba, Pernambuco, Piauí, Rio Grande do Norte e Sergipe.

NOSSO (*nos*-so) (*pronome*)

Que nos pertence: **Nosso** *pai,* **nossa** *mãe e* **nossos** *irmãos formam a* **nossa** *família*.

NOTÁVEL (no-*tá*-vel) (*adjetivo*)

Importante, extraordinário, célebre: *Monteiro Lobato foi um* **notável** *escritor de histórias para crianças*.

NOTURNO (no-*tur*-no) (*adjetivo*)

Que se refere à noite: *O morcego não voa de dia, é um animal* **noturno**.
Que se realiza de noite: *Paulo está fazendo um curso* **noturno** *de Informática*.

NOVELO (no-*ve*-lo) (*substantivo*)

Bola de fio enrolado: **Novelo** *de lã*.

NOVEMBRO (no-*vem*-bro) (*substantivo*)

Décimo primeiro mês do ano, entre outubro e dezembro, com 30 dias: *15 de* **novembro** *é o dia da Proclamação da República*.

NOVIDADE (no-vi-*da*-de) (*substantivo*)

O que se diz, o que se vê, o que se faz pela primeira vez: *Sempre que me encontro com Geraldo ele me pergunta: Quais são as* **novidades**?

NOVO (*no*-vo) (*adjetivo*)

Que é jovem: *Ariovaldo é um homem ainda* **novo**.
Que tem pouco tempo de existência: *Ganhei um modelo* **novo** *de computador*.
Pouco usado: *Faz tempo que comprei este casaco, mas ele ainda está* **novo**.

NOZ (*substantivo*)

Fruto de uma árvore chamada nogueira: *Sempre temos* **nozes** *nas festas de Natal e Ano-Novo*.

NU (adjetivo)

Sem roupas, despido: *Para tomar banho ficamos* **nus**.

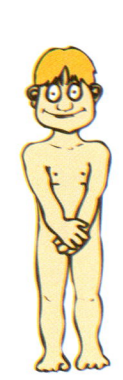

NUBLADO (nu-*bla*-do) (adjetivo)

Coberto de nuvens: *O céu fica* **nublado** *quando vai chover*.

NULO (*nu*-lo) (adjetivo)

Que não é válido, que não vale: *Contrato* **nulo**.

NÚMERO (*nú*-me-ro) (substantivo)

Sinal que indica quantidade: *Os* **números** *podem ser arábicos: 1, 2, 3, 4, 5, 6, 7, 8, 9, 0, ou romanos: I, II, III, IV, V, VI, VII, VIII, IX, X.*

NUMEROSO (nu-me-*ro*-so) (adjetivo)

Em grande quantidade: *O jogo foi visto por um público* **numeroso**, *que lotava as arquibancadas*.

NUNCA (*nun*-ca) (advérbio)

Jamais, em tempo algum: **Nunca** *seja mentiroso*.

NUTRITIVO (nu-tri-*ti*-vo) (*adjetivo*)
Que nutre, que alimenta: *O leite é gostoso e* **nutritivo**.

NUVEM (*nu*-vem) (*substantivo*)
Vapor de água que evapora, fica suspenso no ar e cai na forma de chuva: *Os grandes aviões voam acima das* **nuvens**.
Porção de fumaça ou de pó que se eleva no ar: *Na estrada de terra, o carro levantava* **nuvens** *de pó*.

Oo

O (*substantivo*)
Décima quinta letra do abecedário ou alfabeto. Pode ser maiúsculo: O, ou minúsculo: o. O **o** é uma vogal (Veja essa palavra).

OBEDECER (o-be-de-cer) (*verbo*)
Acatar as ordens de alguém: *O bom empregado* **obedece** *ao patrão*. Observar, cumprir: **Obedecer** *às leis*.

OBJETO (ob-je-to) (*substantivo*)
Qualquer coisa que pode ser vista ou tocada: *O caderno, o lápis, o giz, a carteira são* **objetos** *escolares*.
Matéria, assunto: *A violência foi* **objeto** *da prova de redação em nossa classe*.

OBRA (o-bra) (*substantivo*)
O que foi feito: *Este bolo gostoso é* **obra** *de minha mãe*.
Trabalho literário, científico, artístico: *O pai de Julinho é escritor, já publicou várias* **obras**.
Construção: *Os operários estão terminando as* **obras** *da igreja*.

OBRIGADO (o-bri-*ga*-do) (*adjetivo*)
Grato, agradecido: *Quando Otavinho ganhava um presente de alguém sua mãe mandava: Menino, diga* **obrigado**! (Homem ou menino diz **obrigado**; mulher ou menina diz **obrigada**.)

OBRIGATÓRIO (o-bri-ga-*tó*-rio) (*adjetivo*)
Que tem de ser feito: *Nas eleições brasileiras todos têm de votar, o voto é* **obrigatório**.

OBSERVAR (ob-ser-*var*) (*verbo*)
Olhar com interesse e atenção: **Observe** *como o mágico faz desaparecer aquela moça!*
Notar: **Observei** *que você está meio desconfiado. Por quê?*
Obedecer: *Devemos* **observar** *as leis do nosso país.*

OBSERVATÓRIO (ob-ser-va-*tó*-rio) (*substantivo*)
Lugar elevado onde se instalou um telescópio para se fazerem observações astronômicas. (Veja a palavra **Telescópio**.)

OCA (*o*-ca) (*substantivo*)
Cabana muito simples onde vivem os índios: *A aldeia indígena é uma reunião de muitas* **ocas**.

OCASO (o-*ca*-so) (*substantivo*)
Pôr do sol: *O* **ocaso** *é o desaparecimento gradativo (pouco a pouco) do Sol no horizonte.*

OCEANO (o-ce-*a*-no) (*substantivo*)

Grande extensão de água salgada que cobre a maior parte da Terra: *São cinco os* **oceanos**: *Pacífico, Atlântico, Índico, Glacial Ártico e Glacial Antártico.*

OCO (*o*-co) (*adjetivo*)

Que não tem miolo, que ficou sem a parte de dentro: *Trepado numa mangueira, Joãozinho pisou num galho* **oco**, *que se quebrou e ele caiu.*

ÓDIO (*ó*-dio) (*substantivo*)

Raiva, rancor, forte ressentimento por alguém ou alguma coisa: *A pessoa que tem* **ódio** *é infeliz, sofre e faz os outros sofrerem.*

OFERECER (o-fe-re-*cer*) (*verbo*)

Dar, ofertar: **Ofereço** *a você este livro como lembrança de nossa amizade.*
Pôr-se ao serviço de alguém: *Zélio se* **ofereceu** *para levar a encomenda.*

OFICINA (o-fi-*ci*-na) (*substantivo*)

Lugar no qual se trabalha ou onde se exerce algum ofício: **Oficina** *mecânica,* **oficina** *de artesanato,* **oficina** *de ourives.*

OLFATO (ol-*fa*-to) (*substantivo*)

Sentido pelo qual percebemos o cheiro das coisas: *Juntamente com o paladar, o tato, a audição e a visão, o* **olfato** *é um dos nossos cinco sentidos.*

OLHO (o-lho) (*substantivo*)

Órgão da visão: *São partes principais do **olho** o globo ocular, a córnea, a pupila, a íris (que dá aos **olhos** as suas várias cores).*

ONDA (on-da) (*substantivo*)

Elevação da água do mar, do rio, do lago etc: *Quando o mar está agitado as **ondas** atingem vários metros de altura.*

ÔNIBUS (ô-ni-bus) (*substantivo*)

Veículo usado para o transporte de pessoas de um bairro para outro (**ônibus** urbano) ou de uma cidade para outra (**ônibus** intermunicipal).

OPERÁRIO (o-pe-rá-rio) (*substantivo*)

Trabalhador, principalmente de fábrica: *Os **operários** são assalariados, quer dizer, recebem salário pelo seu trabalho.*

OPINIÃO (o-pi-ni-ão) (*substantivo*)

Modo de pensar, de julgar, de sentir: *O professor pediu a **opinião** de cada um dos alunos sobre a lição do dia.*

OPOSTO (o-*pos*-to) (*adjetivo*)
Contrário: *O bem é o* **oposto** *do mal.*

ÓRBITA (*ór*-bi-ta) (*substantivo*)
Caminho que um astro menor percorre ao redor de outro maior: *No Sistema Solar cada planeta tem a sua* **órbita** *em torno do Sol.*
Caminho em torno de um astro, de um planeta: *A* **órbita** *da Terra, a* **órbita** *de Júpiter.*

ORELHA (o-*re*-lha) (*substantivo*)
Cada uma das duas partes externas dos ouvidos: *Através das* **orelhas** *percebemos os sons e ruídos.*

ÓRFÃO (*ór*-fão) (*substantivo*)
Que perdeu o pai e a mãe, ou só o pai (**órfão** *de pai*), ou só a mãe (**órfão** *de mãe*).

ÓRGÃO (*ór*-gão) (*substantivo*)
Parte do corpo que tem uma função especial: *O cérebro é o* **órgão** *do pensamento.*
Instrumento musical com teclados e tubos: *Quem toca* **órgão** *é organista.*

ORIENTAR (o-ri-en-*tar*) (*verbo*)
Indicar o rumo, o caminho certo: *As placas de trânsito* **orientam** *os motoristas.*

ORIGEM (o-*ri*-gem) (*substantivo*)

Princípio, começo: *A **origem** da briga foi uma discussão sobre futebol.*

ORTOGRAFIA (or-to-gra-*fi*-a) (*substantivo*)

Escrita correta das palavras: *O ensino da **ortografia** é uma das partes da Gramática que se estuda nas aulas de Português.*

ORVALHO (or-*va*-lho) (*substantivo*)

Gotinhas de água que caem levemente das nuvens durante a noite: *A irmã de Julinho canta uma música que diz: "O **orvalho** vem caindo, vai molhar o meu chapéu".*

OSTRA (*os*-tra) (*substantivo*)

Molusco comestível que vive dentro de uma concha: *Quando vai à praia, Pedrinho come **ostra** com limão.*

ÓTIMO (*ó*-ti-mo) (*adjetivo*)

Muito bom: *O professor considerou **ótima** a redação do Orlando sobre o Dia do Trabalho.*

OURIVES (ou-*ri*-ves) (*substantivo*)

Pessoa que fabrica ou vende objetos de ouro e prata: *A arte do **ourives** é a ourivesaria.* (Essa palavra não varia; dizemos: o **ourives**, os **ourives**).

OURO (*ou*-ro) (*substantivo*)

Metal precioso, amarelo, e pesado: *Com o **ouro** se fazem joias de grande valor.*

OUTONO (ou-*to*-no) (*substantivo*)
Estação do ano, entre o verão e o inverno: *No Brasil o **outono** vai de 21 de março a 20 de junho.*

OUTUBRO (ou-*tu*-bro) (*substantivo*)
Décimo mês do ano, entre setembro e novembro, com 31 dias: *Em 12 de **outubro** festejamos o Dia das Crianças.*

OUVIDO (ou-*vi*-do) (*substantivo*)
Órgão da audição: *Pela orelha e o **ouvido** percebemos os sons e ruídos.*

OVELHA (o-*ve*-lha) (*substantivo*)
Fêmea do carneiro: *A **ovelha** é um mamífero que tem o corpo coberto de lã.*

OXIGÊNIO (o-xi-*gê*-nio) (*substantivo*)
Gás que faz parte da atmosfera e da água: *Todos os seres vivos precisam de **oxigênio**, que assimilam pela respiração ou fotossíntese.*

Pp

P (*substantivo*)

Décima sexta letra do abecedário ou alfabeto. Pode ser maiúsculo: P, ou minúsculo: p. O **p** é uma consoante (Veja essa palavra).

PACIENTE (pa-ci-*en*-te)

(*adjetivo*) Que suporta males e incômodos sem se queixar: *Para aguentar a indisciplina dos alunos o professor precisa ser muito* **paciente**.

(*substantivo*) Doente, pessoa em tratamento médico: *Os* **pacientes** *deste hospital são muito bem-tratados*.

PACÍFICO (pa-*cí*-fi-co) (*adjetivo*)

Que é amigo da paz e da ordem: *O sr. Abelardo é um homem* **pacífico**, *não gosta de confusões*.

PADARIA (pa-da-*ri*-a) (*substantivo*)

Onde se fabrica e vende especialmente pão: *Logo de manhã Lucinha vai à* **padaria** *comprar leite e pão*.

PAGAR (pa-*gar*) (*verbo*)

Entregar dinheiro suficiente para satisfazer o preço ou o valor de alguma coisa, ou de um trabalho: *Papai disse que* **pagou** *mais do que pensava pelo carro novo.*

PÁGINA (*pá*-gi-na) (*substantivo*)

Cada um dos lados da folha de um livro, de um caderno, de um álbum: *Um livro de 32 folhas tem 64* **páginas**.

PAI (*substantivo*)

Homem que teve um ou muitos filhos: *No segundo domingo do mês de agosto, comemora-se o Dia dos* **Pais**.

PAÍS (pa-*ís*) (*substantivo*)

A pátria e seus habitantes: *Cada* **país**, *separado dos outros por fronteiras, tem seu idioma, suas tradições, seus usos e costumes, seu governo, suas leis.*

PAISAGEM (pai-*sa*-gem) (*substantivo*)

Parte de um território: *um campo, um rio, um pedaço de mar, que vemos num simples olhar: Paisagista é a pessoa que pinta ou descreve* **paisagens**.

PAIXÃO (pai-*xão*) (*substantivo*)

Amor muito forte por alguém ou por alguma coisa: *Luzia tem* **paixão** *por Antônio; Leonardo tem* **paixão** *por futebol.*

PALÁCIO (pa-*lá*-cio) (*substantivo*)

Habitação de grande luxo e beleza, onde vivem reis, rainhas, príncipes, e que também serve de residência a presidentes e governadores: *No Brasil, o Presidente da República reside no* **Palácio** *da Alvorada, que fica em Brasília, capital do país.*

PALADAR (pa-la-*dar*) (*substantivo*)

Sentido pelo qual apreciamos o gosto ou o sabor do que comemos e bebemos: *Juntamente com o olfato, o tato, a audição e a visão, o* **paladar** *é um dos nossos cinco sentidos.*

PALAVRA (pa-*la*-vra) (*substantivo*)

Reunião de sons com que dizemos alguma coisa: *As* **palavras** *são compostas de sílabas, e com elas formamos as frases.*

PALCO (*pal*-co) (*substantivo*)

Parte do teatro onde os atores ou artistas se apresentam: *Lino admirou o belo cenário armado no* **palco** *para a representação da peça.*

PALHAÇO (pa-*lha*-ço) (*substantivo*)

Artista de circo que pinta o rosto, usa roupas de cores vivas e faz os espectadores rirem de suas brincadeiras ou palhaçadas: *Meu tio disse que na sua infância o* **palhaço** *mais conhecido chamava-se Arrelia.*

PALMEIRA (pal-*mei*-ra) (*substantivo*)

Árvore de tronco liso e comprido, no alto do qual as grandes folhas se abrem, e que produz como fruto o coco: *As* **palmeiras** *também são chamadas coqueiros e palmas.*

PANDEIRO (pan-*dei*-ro) (*substantivo*)

Espécie de tambor achatado, com o couro bem esticado e várias chapinhas de metal ao seu redor, que fazem barulho quando se bate no couro: *O* **pandeiro** *é um instrumento muito usado nos desfiles das escolas de samba.*

PANTANAL (pan-ta-*nal*) (*substantivo*)

Grande extensão de terra coberta por águas paradas: *O pai de Miguelzinho sempre vai pescar no* **Pantanal** *de Mato Grosso.*

PAPAGAIO (pa-pa-*gai*-o) (*substantivo*)

Ave trepadora de penas verdes e bico recurvado: *O* **papagaio** *é o único animal que consegue imitar a voz humana.*

PAPEL (pa-*pel*) (*substantivo*)

Objeto feito com a parte da árvore chamada celulose, e preparado em folhas para escrever, desenhar, embrulhar, forrar etc.: *Quando o* **papel** *é encorpado e forte, chama-se papelão.*

Modo de se comportar: *Maurício fez um* **papel** *muito feio (um papelão) na frente dos seus colegas.*

PARABÉNS (pa-ra-*béns*) (*substantivo*)

Felicitações, congratulações: **Parabéns** *pelo seu aniversário! Passou no exame?* **Parabéns***!*

PARAQUEDAS (pa-ra-*que*-das) (*substantivo*)

Aparelho que diminui a velocidade da queda: *Os* **paraquedas** *são usados por pessoas (paraquedistas) que se atiram dos aviões em pleno voo.*

PARA-RAIOS (pa-ra-*rai*-os) (*substantivo*)

Aparelho formado principalmente por uma barra de metal que atrai os raios: *Os* **para-raios** *são colocados no alto dos edifícios para protegê-los.*

PARASITA (pa-ra-*si*-ta) (*substantivo*)

Animal ou vegetal que se alimenta de outro animal ou outro vegetal: *Também se chama* **parasita** *a pessoa que não trabalha e vive à custa de outra pessoa.*

PAREDE (pa-*re*-de) (*substantivo*)

Construção de tijolos ou de pedras que forma a frente das casas e edifícios, e também os divide internamente: *Lauro não quis pendurar nenhum quadro nas* **paredes** *do seu quarto.*

PARQUE (*par*-que) (*substantivo*)

Jardim extenso cercado de muros ou grades, onde as pessoas passeiam e se divertem: *Na cidade de São Paulo existe um grande* **parque** *popular chamado Ibirapuera.*

PÁSCOA (*pás*-coa) (*substantivo*)

Festa religiosa com a qual se comemora a ressurreição de Jesus Cristo: *A* **Páscoa** *sempre cai num domingo, na Semana Santa.*

PASSADO (pas-*sa*-do) (*substantivo*)

O tempo que passou: *Vivemos no presente, lembramo-nos do* **passado** *e vamos para o futuro.*

PÁSSARO (*pás*-sa-ro) (*substantivo*)

Ave pequena, passarinho: *Os pardais, os beija-flores, os sabiás, os canários, os pica-paus são* **pássaros** *que todos conhecem.*

PASSEAR (pas-se-*ar*) (*verbo*)

Andar sem pressa, observando paisagens, coisas e pessoas: **Passear** *é bom; a gente se distrai e se diverte.*
Ir a passeio: *Fomos* **passear** *no Rio de Janeiro, andamos no teleférico, visitamos o Pão de Açúcar e o Cristo Redentor no Corcovado.*

PASSEATA (pas-se-*a*-ta) (*substantivo*)

Marcha realizada para protestar ou expressar apoio: *Os professores realizaram uma* **passeata** *de protesto contra os baixos salários.*

PASTAR (pas-*tar*) (*verbo*)

Comer no pasto (terreno coberto de capim com que o gado se alimenta): *O pasto, ou campo onde o gado vai* **pastar**, *também se chama pastagem.*

PATIM (pa-*tim*) (*substantivo*)

Calçado próprio para rolar sobre pavimento liso ou deslizar no gelo: *Só anda sobre* **patins** *quem sabe patinar.*

PÁTRIA (*pá*-tria) (*substantivo*)

País em que nascemos: *O Genaro vive no Brasil, mas a sua* **pátria** *é a Itália.*

PAUSA (*pau*-sa) (*substantivo*)

Interrupção, intervalo, parada de uma ação: *Você trabalha demais; faça uma* **pausa** *para descansar.*

PAVÃO (pa-*vão*) (*substantivo*)

Ave da mesma família da galinha, porém maior e muito admirada por sua bela plumagem, principalmente a da cauda, que se abre como um grande leque: *A fêmea do* **pavão** *é a pavoa.*

PAVOR (pa-*vor*) (*substantivo*)

Grande medo, terror: *As guerras causam* **pavor**, *são pavorosas.*

PAZ (*substantivo*)

Ausência de guerras, problemas ou violência: *Pessoas inteligentes nunca brigam, vivem em* **paz**.

PEDAL (pe-*dal*) (*substantivo*)

Parte dos aparelhos movido pelos pés: *As bicicletas têm* **pedais**; *os pianos e os órgãos também.*

PEDESTRE (pe-*des*-tre) (*substantivo*)

Pessoa que anda a pé: *Os bons motoristas respeitam os* **pedestres**.

PEDRA (*pe*-dra) (*substantivo*)

Mineral duro que se tira das rochas e que se usa na construção de casas e edifícios, represas, estradas etc.: *Existem* **pedras** *de muito valor e por isso chamadas preciosas: o diamante, o rubi, a esmeralda etc.*

PEDREIRO (pe-*drei*-ro) (*substantivo*)

Operário que trabalha na construção e reforma de casas e edifícios: *Papai contratou dois* **pedreiros** *para reformar nossa casa.*

PEIXE (pei-xe) (*substantivo*)

Animal vertebrado que nasce e vive na água, respira por guelras e se movimenta por meio de barbatanas: *A carne dos* **peixes** *é saborosa e muito nutritiva.*

PELUDO (pe-*lu*-do) (*adjetivo*)

Que tem muito pelo: *Mamãe tem uma gata angorá,* **peluda** *e muito macia.*

PEQUENO (pe-*que*-no) (*adjetivo*)

De pouco tamanho, de baixa estatura: *Era uma menina* **pequena** *e magrinha.* Que ainda não cresceu: *Ele ainda não anda, é muito* **pequeno**.

PENA (*pe*-na) (*substantivo*)

O que cobre o corpo das aves: *A* **pena** *das aves também se chama pluma.*
Dó, compaixão: *Tenho* **pena** *dos meninos de rua.*
Punição, castigo: *O criminoso foi condenado à* **pena** *máxima, trinta anos de prisão!*

PERA (*pe*-ra) (*substantivo*)

Fruto da árvore chamada pereira. *A* **pera** *é macia e muito doce, come-se com a casca ou descascada.*

PERAMBULAR (pe-ram-bu-*lar*) (*verbo*)
Andar sem rumo: *O mendigo* **perambula** *pelas ruas em busca de uma esmola.*

PERCORRER (per-cor-*rer*) (*verbo*)
Andar um caminho inteiro: *O atleta* **percorreu** *os 800 metros da corrida sem mostrar cansaço.*

PERDER (per-*der*) (*verbo*)
Ficar sem a posse de alguma coisa: *Vovô* **perdeu** *o guarda-chuva no metrô.*
Sofrer uma derrota: *Nosso time de basquete* **perdeu** *para o do colégio mineiro.*
Deixar de ver ou de ouvir: *Cheguei atrasado e* **perdi** *a metade da aula.*

PERDOAR (per-do-*ar*) (*verbo*)
Desculpar, esquecer um mal que nos fizeram: *Mauro me ofendeu profundamente, mas já o* **perdoei**.

PERFUME (per-*fu*-me) (*substantivo*)
Cheiro muito agradável: *O* **perfume** *das flores.*
Preparado aromático: *No seu aniversário Laurinha ganhou um vidro de* **perfume** *francês.*

PERGUNTAR (per-gun-*tar*) (*verbo*)
Indagar, procurar saber: *Quem não* **pergunta** *não aprende.*

PERNA (*per*-na) (*substantivo*)

Cada um dos dois membros inferiores do nosso corpo: *Com as* **pernas** *andamos, corremos, praticamos esportes.* Cada um dos membros com que os animais se movimentam: *Os quadrúpedes são animais de quatro* **pernas** *e quatro pés.*

PÉROLA (*pé*-ro-la) (*substantivo*)

Globo pequenino, branco, duro e brilhante, que se encontra no interior da concha de alguns moluscos: *Colar de* **pérolas**.

PERTO (*per*-to) (*advérbio*)

A pouca distância, nas proximidades: *A escola em que estudo fica bem* **perto** *de minha casa.*

PÊSAMES (*pê*-sa-mes) (*substantivo*)

Demonstração de tristeza pela morte de alguém: *Sinto muito a morte de seu pai; meus* **pêsames**.

PESCADOR (pes-ca-*dor*) (*substantivo*)

Pessoa que pesca, quer dizer, que apanha peixes no mar, num rio, num lago: *No Nordeste do Brasil os* **pescadores** *vão mar adentro em jangadas.*

PESQUISAR (pes-qui-*sar*) (*verbo*)

Investigar, buscar informações: *Só se aprende bem quando se sabe* **pesquisar** *em livros e enciclopédias.*

PÊSSEGO (pês-se-go) (*substantivo*)
Fruto da árvore chamada pessegueiro:
*O **pêssego** tem cheiro gostoso,
pele macia como veludo e polpa muito doce.*

PÉTALA (pé-ta-la) (*substantivo*)
Cada uma das peças que formam a parte principal da flor, chamada corola: *A corola é a reunião das **pétalas**, é a própria flor.*

PETRÓLEO (pe-tró-leo) (*substantivo*)
Líquido negro e viscoso, que pega fogo, encontrado debaixo da terra, em grandes profundidades: *É do **petróleo** que se tiram a gasolina, o querosene, o gás de cozinha e outros vários produtos; até o esmalte com que mamãe pinta as unhas.*

PIANO (pi-a-no) (*substantivo*)
Instrumento musical de cordas, teclado e pedais, o qual se toca batendo os dedos nas teclas: *Lenita estuda no conservatório, onde aprende a tocar **piano**.*

PIÃO (pi-ão) (*substantivo*)
Brinquedo de madeira, com uma ponta numa das extremidades e que se faz girar por meio de um cordel: *Julinho sabe pegar o **pião** girando na palma da mão.*

PILOTO (pi-*lo*-to) (*substantivo*)

Pessoa que dirige um avião, um barco, uma lancha, um carro de corridas: *Eduardo adora aviões, diz que vai ser* **piloto** *quando crescer.*

PINCEL (pin-*cel*) (*substantivo*)

Reunião de pelos, fortemente ligados numa das extremidades de um cabo: *Existem* **pincéis** *de vários tipos, grandes para pintar paredes, menores e finos para pintar quadros, pequenos e macios para ensaboar o rosto de quem vai se barbear.*

PINGUIM (pin-*guim*) (*substantivo*)

Ave que vive nos mares frios do polo Sul, de asas curtas e penas:
Os **pinguins** *não voam; usam as asas como braços para nadar e se equilibrar quando andam em terra firme.*

PINTURA (pin-*tu*-ra) (*substantivo*)

Arte de pintar, de representar qualquer coisa em quadros ou telas, por meio de traços e cores:
O brasileiro Cândido Portinari foi um dos maiores gênios da **pintura** *mundial.*

PIRÂMIDE (pi-râ-mi-de) (*substantivo*)

Construção de quatro faces triangulares, cujos pontos mais elevados se juntam, formando um só ponto, chamado vértice da pirâmide: *As grandes* **pirâmides** *do Egito foram construídas para servirem de túmulos aos seus faraós ou reis.*

PISCINA (pis-ci-na) (*substantivo*)

Grande tanque cheio de água onde se pratica a natação e se realizam jogos aquáticos: *As* **piscinas** *para competições de natação medem 50 metros de comprimento e 25 metros de largura.*

PLANETA (pla-ne-ta) (*substantivo*)

Corpo celeste que gira ao redor de uma estrela, da qual recebe luz e calor: *Em torno do Sol giram os* **planetas** *do Sistema Solar.*

PLANTA (*plan-ta*) (*substantivo*)

Vegetal: *Chamam-se* **plantas** *todos os vegetais: árvores, arbustos, ervas.*
Desenho que representa um edifício, uma cidade etc.: *Papai levou a* **planta** *de nossa casa à prefeitura, para ser aprovada.*
Parte do nosso pé que assenta no chão, também chamada sola do pé.

PLÁSTICO (plás-ti-co) (substantivo)
Material fácil de ser trabalhado com os dedos ou com instrumentos, que pode receber diversas formas: Boneca de **plástico**.

PLATEIA (pla-te-ia) (substantivo)
Local para o público, nos teatros e casas de espetáculos: A **plateia** fica entre o palco e os camarotes.
Conjunto dos espectadores: Ao final da peça a **plateia** se pôs de pé para aplaudir os atores.

POBRE (po-bre) (adjetivo)
Que vive com poucas posses, que tem pouco dinheiro: Papai é **pobre**, por isso não pode gastar muito.
Que merece pena: Matilde é uma **pobre** mulher, perdeu o marido e os filhos.
Que não é fértil: Terra **pobre**.
Que ainda não progrediu: Bairro **pobre**, país **pobre**.

POESIA (po-e-si-a) (substantivo)
Arte de escrever versos: A pessoa que escreve em versos e se dedica à **poesia** é poeta.

POLPA (pol-pa) (substantivo)
Parte carnuda dos frutos: A **polpa** da melancia é vermelha; a da laranja, amarela.

PONTE (pon-te) (substantivo)
Construção que liga dois lugares separados por rio ou mar:
A **ponte** Rio–Niterói liga essas duas cidades.

PONTUAL (pon-tu-*al*) (*adjetivo*)
Que não se atrasa: *Eduardo é* **pontual**, *chega sempre na hora certa.*

POPULAÇÃO (po-pu-la-ção) (*substantivo*)
Conjunto dos habitantes de um lugar: *A* **população** *do Brasil, a* **população** *de Brasília, a* **população** *do bairro onde moro.*

PÔR (*verbo*)
Colocar em algum lugar: **Ponha** *o carro na garagem.*
Arrumar, preparar: *Mamãe mandou Zulmira* **pôr** *a mesa para o jantar.* Vestir: *Está frio, vou* **pôr** *o casaco.*
Deixar no ninho, botar: *Esta galinha* **põe** *um ovo todo dia.*

PORTO (*por*-to) (*substantivo*)
Onde os navios param para se abrigar, embarcar e desembarcar passageiros, carregar ou descarregar mercadorias: *Os grandes* **portos** *brasileiros são os de Santos, Rio de Janeiro e Porto Alegre.*

POSSUIR (pos-su-*ir*) (*verbo*)
Ter a posse de alguma coisa: *Meu tio* **possui** *um carro importado.*

POSTAL (pos-*tal*) (*adjetivo*)
Do correio: *O principal serviço* **postal** *é a entrega de cartas e telegramas.*

POUCO (*pou*-co)

(*pronome*) Pequena quantidade: **pouco** dinheiro, **pouca** sorte.
Pequeno: **pouco** valor.
Curto: **pouco** tempo.
(*advérbio*) Não muito: Lenira é **pouco** aplicada, estuda muito **pouco**.
(*substantivo*) Pequena quantidade: Antes **pouco** do que nada.
Pequeno intervalo de tempo: Espere um **pouco**.

POUPANÇA (pou-*pan*-ça) (*substantivo*)

Economia: Papai diz que a **poupança** é uma virtude.
Aplicação de dinheiro: Mamãe tem uma caderneta de **poupança** no banco.

POVO (*po*-vo) (*substantivo*)

Conjunto de pessoas que vivem no mesmo país, na mesma cidade, na mesma região: O **povo** brasileiro, o **povo** gaúcho.

PRAIA (*prai*-a) (*substantivo*)

Faixa de terra à beira do mar, coberta de areia: O dia está ensolarado, faz calor; vamos à **praia**!

PRANTO (*pran*-to) (*substantivo*)

Choro, lágrimas: Não fique triste, enxugue o **pranto**.

PRATA (*pra*-ta) (*substantivo*)

Metal precioso, branco e brilhante, que se usa para fazer moedas, medalhas, joias, baixelas ou faqueiros (conjunto de talheres): *Como presente de casamento minha prima ganhou um belo faqueiro de* **prata**.

PRATICAR (pra-ti-*car*) (*verbo*)

Realizar: *Ele é muito bom, está sempre* **praticando** *atos de caridade*.
Exercer, fazer sempre: *O esporte que* **pratico** *é a natação*.
Cometer: *Se eu fizer isso vou* **praticar** *uma injustiça*.
Treinar: *Para nadar bem é preciso* **praticar** *todos os dias*.

PRATO (*pra*-to) (*substantivo*)

Peça circular em que se serve a comida: *Os* **pratos** *podem ser de louça, de metal, de plástico, fundos (para sopas) ou rasos*.
Cada uma da comidas de uma refeição: *O* **prato** *do dia foi risoto de camarão*.

PRECE (*pre*-ce) (*substantivo*)

Oração: *A* **prece** *é um pedido, um agradecimento ou um louvor a Deus*.

PRECISAR (pre-ci-*sar*) (*verbo*)

Ter necessidade de alguma coisa: *Venha comigo,* **preciso** *muito de sua companhia*.

PREÇO (pre-ço) (*substantivo*)
Valor de uma coisa: *Achei exagerado o* **preço** *do brinquedo.*

PRECONCEITO (pre-con-cei-to) (*substantivo*)
Opinião contra alguém ou alguma coisa, geralmente sem motivo aceitável: **Preconceito** *de cor, de raça, de religião, de sexo.*

PREGUIÇA (pre-gui-ça) (*substantivo*)
Falta de vontade para fazer alguma coisa, principalmente para trabalhar: *Quem tem* **preguiça** *é preguiçoso.*

PREJUDICIAL (pre-ju-di-ci-al) (*adjetivo*)
Que faz mal: *A bebida alcoólica é* **prejudicial** *à saúde.*

PRENDER (pren-der) (*verbo*)
Segurar para levar à prisão: *O policial conseguiu* **prender** *o ladrão.*
Atrair, cativar: *O assunto da conversa não me* **prendeu** *a atenção.*
Ligar, unir: **Prendeu** *o bilhete com fita adesiva.*

PRESIDENTE (pre-si-den-te) (*substantivo*)
Pessoa que dirige um país, uma associação, um clube, uma reunião de pessoas: **Presidente** *da República,* **presidente** *do São Paulo Futebol Clube,* **presidente** *da Assembleia Legislativa.*

PRESO (*pre-so*)

(*adjetivo*) Que foi agarrado e não pode escapar: *Dá pena ver o pássaro* **preso** *na gaiola*.

(*substantivo*) Pessoa que está na prisão, na cadeia: *A televisão deu a notícia de uma revolta de* **presos**.

PREVISÃO (*pre-vi-são*) (*substantivo*)

Ato de ver, de saber, de imaginar ou calcular, antes que aconteça:
Todos os dias passa a **previsão** *do tempo no jornal*.

PREZADO (*pre-za-do*) (*adjetivo*)

Querido, estimado: *Meu* **prezado** *amigo, minha* **prezada** *professora*.

PRIMAVERA (*pri-ma-ve-ra*) (*substantivo*)

Estação do ano, entre o inverno e o verão:
No Brasil, a **primavera** *vai de 23 de setembro a 21 de dezembro*.

PRIMO (*pri-mo*)

(*substantivo*) Filho do meu tio ou da minha tia:
Minha família é numerosa, tenho muitos tios, tias e **primos**.
(*adjetivo*) Número que só se divide por si mesmo ou pela unidade: *3, 5, 7, 9 são números* **primos**.

PRODUTIVO (*pro-du-ti-vo*) (*adjetivo*)

Que dá bom resultado: *Trabalho* **produtivo**.
Fértil: *Terra* **produtiva**.

PROFISSÃO (pro-fis-são) (*substantivo*)

Emprego, modo de vida: **Profissão** de médico, de jornalista, de escritor, de detetive, de mecânico.

PROFUNDO (pro-*fun*-do) (*adjetivo*)

Muito fundo: *Os poços de petróleo são estreitos e* **profundos**.
Muito forte: *Ele tem um* **profundo** *amor pela mulher e pelos filhos*.

PROIBIDO (pro-i-*bi*-do) (*adjetivo*)

Que não se pode fazer: *É* **proibida** *a entrada de pessoas estranhas*.

PRONÚNCIA (pro-*nún*-cia) (*substantivo*)

Modo de falar: *A* **pronúncia** *certa da palavra poça é poça (ô)*.

PROSA (*pro*-sa) (*substantivo*)

Maneira de escrever: *Quando não escrevemos em versos, escrevemos em* **prosa**.
Conversa: *Toda gente gosta de uma boa* **prosa**.

PROTEGER (pro-te-*ger*) (*verbo*)

Não deixar que aconteça algum mal a alguém ou a alguma coisa: *O pai* **protege** *o filho. A tinta* **protege** *a grade contra a ferrugem*.

PROTESTAR (pro-tes-*tar*) (*verbo*)

Reclamar, revoltar-se contra um abuso, uma injustiça: *Os operários* **protestaram** *contra o fechamento da fábrica*.

PROVA (*pro*-va) (*substantivo*)

O que serve para demonstrar uma verdade: *Eu lhe dou este presente como* **prova** *de que gosto de você.*
Exame: *Fui muito bem na* **prova** *de matemática.*

PROVÁVEL (pro-*vá*-vel) (*adjetivo*)

Que pode acontecer: *Se você estudar bastante, é* **provável** *que ainda consiga passar de ano.*

PROVISÓRIO (pro-vi-*só*-rio) (*adjetivo*)

Que não é para sempre: *Aqui sou aluno* **provisório**; *logo vou ser transferido para outra escola.*

PULMÃO (pul-*mão*) (*substantivo*)

Órgão principal da respiração: *Temos dois* **pulmões**, *que ficam no tórax, atrás do coração.*

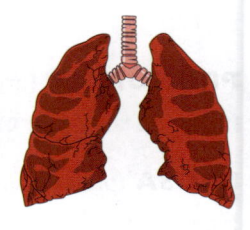

PUNIR (pu-*nir*) (*verbo*)

Castigar: *A justiça vai* **punir** *o criminoso.*

PURO (*pu*-ro) (*adjetivo*)

Que não tem mistura: *Papai toma café* **puro**, *sem leite nem açúcar.*
Limpo, sem sujeira: *A água daquela fonte é* **pura** *e cristalina.*

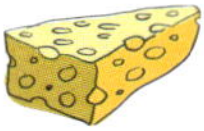

Qq

Q (*substantivo*)

Décima sétima letra do abecedário ou alfabeto. Pode ser maiúscula: Q, ou minúscula: q. O **q** é uma consoante (Veja essa palavra).

QUADRA (*qua*-dra) (*substantivo*)

Onde se praticam certos esportes: **Quadra** *de tênis, de basquetebol, de voleibol, de futsal.* Espaço entre duas esquinas: *O número 365 não fica nesta* **quadra**. Tempo, idade: *A infância é a* **quadra** *mais feliz da nossa vida.*

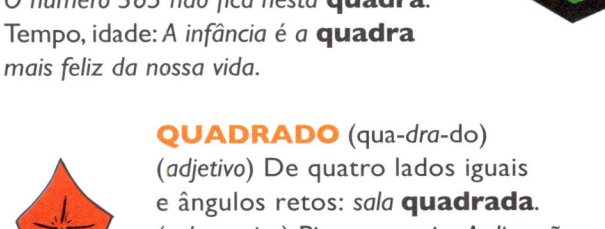

QUADRADO (qua-*dra*-do) (*adjetivo*) De quatro lados iguais e ângulos retos: *sala* **quadrada**. (*substantivo*) Pipa, papagaio: *A diversão de que Zezinho mais gosta é empinar* **quadrados**.
Resultado de um número multiplicado por ele mesmo: *O* **quadrado** *de 8 é 64 (8 x 8).*

QUADRILHA (qua-*dri*-lha) (*substantivo*)
Bando de ladrões, de assaltantes, de pessoas desonestas: *Toda **quadrilha** tem um chefe que a dirige.*
Dança formada por vários pares de homens e mulheres, ou meninos e meninas: *A **quadrilha** dança-se nas festas juninas, ao som da música do mesmo nome.*

QUADRÚPEDE (qua-*drú*-pe-de) (*adjetivo*)
Que tem quatro pés: *Animal **quadrúpede**.*

QUANTIDADE (quan-ti-*da*-de) (*substantivo*)
Porção de alguma coisa: *A pesca foi boa, pegamos uma grande **quantidade** de peixes.*

QUARTEL (quar-*tel*) (*substantivo*)
Edifício em que ficam os soldados: *Os soldados vão marchando, direto para o **quartel**.*

QUASE (*qua*-se) (*advérbio*)
Perto, a pouca distância: *A padaria é ali, **quase** na esquina.*
Por pouco: *Eu disse quatro e deu cinco, **quase** acertei.*

QUEIJO (*quei*-jo) (*substantivo*)
Produto que se fabrica com leite coalhado: *A sobremesa de **queijo** com goiabada chama-se Romeu e Julieta.*

QUEIXAR (-SE) (quei-*xar*) (*verbo*)

Reclamar: *Você não estuda; se repetir o ano, não se **queixe***.

QUENTE (*quen*-te) (*adjetivo*)
Em que há calor: *O tempo está **quente***.

QUESTÃO (*ques*-tão) (*substantivo*)
Pergunta: *Fui bem na prova, acertei as respostas de todas as **questões***.
Exigência, forte decisão: *Faço **questão** de que você vá à festa do meu aniversário*.

QUIETO (qui-e-to) (*adjetivo*)
Parado: ***Quieto**! Não se mexa tanto!*
Calado: *Pare de falar, fique **quieto**!*
Tranquilo, sossegado: *É uma boa criança, está sempre **quieta***.

QUILO (*qui*-lo) (*substantivo*)
Medida de peso que vale mil gramas: ***Quilo** é forma reduzida da palavra quilograma*.

QUILÔMETRO (qui-*lô*-me-tro) (*substantivo*)
Medida de comprimento que vale mil metros: *Na corrida a pé chamada maratona os atletas correm 42 **quilômetros** e meio*.

QUÍMICA (*quí*-mi-ca) (*substantivo*)
Ciência que estuda a composição dos animais, vegetais e minerais, e as leis que determinam suas transformações: *O estudo da **Química** é o estudo da própria vida*.

QUINZENA (quin-ze-na) (*substantivo*)
Espaço de quinze dias: *Comemora-se a proclamação da República na primeira* **quinzena** *de novembro.*

QUITANDA (qui-*tan*-da) (*substantivo*)
Estabelecimento onde se vendem hortaliças, frutas, verduras, aves, ovos etc.: *O dono da* **quitanda** *é o quitandeiro.*

QUOTIDIANO (quo-ti-di-*a*-no) (**adjetivo**)
Que acontece ou que se faz todos os dias: *Tarefas* **quotidianas**. (Também se diz e se escreve **cotidiano**.)

Rr

R (*substantivo*)

Décima oitava letra do abecedário ou alfabeto. Pode ser maiúsculo: R, ou minúsculo: r. O **r** é uma consoante (Veja essa palavra).

RÃ (*substantivo*)

Animal vertebrado sem cauda, que vive na água e nos lugares pantanosos:
As **rãs** *têm longas pernas, com as quais dão grandes saltos.*

RAÇA (*ra-ça*) (*substantivo*)

Conjunto de indivíduos semelhantes entre si, com a mesma cor da pele, o mesmo formato da cabeça, do rosto, do nariz, o mesmo tipo de cabelo etc.:
Os cachorros da **raça** *labrador gostam de brincar.*

RAÇÃO (*ra-ção*) (*substantivo*)

Porção de alimento que se dá de cada vez a uma pessoa ou a um animal:
Papai é quem cuida das **rações** *do cão e da gata que temos em casa.*

RACIONAL (ra-cio-*nal*) (*adjetivo*)

Que pensa, que raciocina: *Nós somos seres* **racionais** *porque temos e usamos a razão* (Veja esta palavra).

RADAR (ra-*dar*) (*substantivo*)

Aparelho que localiza a presença de aviões, navios etc., mesmo que estejam escondidos nas nuvens ou muito distantes: *O* **radar** *também é usado para medir a velocidade dos carros que correm por avenidas e estradas.*

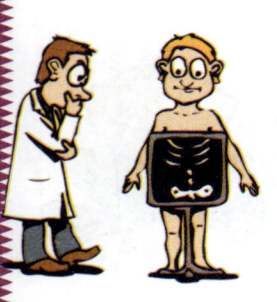

RADIOGRAFIA (ra-dio-gra-*fi*-a) (*substantivo*)

Fotografia feita com os chamados raios X, que torna visíveis na chapa, ou filme, os ossos e os órgãos internos do nosso corpo: *Usa-se a* **radiografia** *para se descobrir doenças orgânicas e ferimentos ou choques nos ossos.*

RAIAR (rai-ar) (*verbo*)

Brilhar, aparecer no horizonte: *Amanhece; o dia já vem* **raiando**.

RAIO (rai-o) (*substantivo*)

Descarga elétrica que se produz entre uma nuvem e o solo: *O* **raio** *faz uma risca luminosa em ziguezague no céu (é o relâmpago), seguida de um estrondo (é o trovão).*
Traço de luz: *Os* **raios** *do Sol iluminam o dia.*

RAIVA (*rai*-va) (*substantivo*)

Doença chamada hidrofobia, que ataca os animais (principalmente os cães) e os torna raivosos: *Todos os cães devem ser vacinados contra a* **raiva**.
Ódio, fúria, rancor: *Fiquei com* **raiva** *da Alice, mas depois fiz as pazes com ela.*

RAIVOSO (rai-*vo*-so) (*adjetivo*)

Cheio de raiva, de ódio: *O lutador estava* **raivoso**.
Atacado de raiva ou hidrofobia: *Cão* **raivoso**.

RAIZ (ra-*iz*) (*substantivo*)

Parte da planta que fica dentro da terra: *Pela* **raiz** *a planta se prende à terra, e desta tira as substâncias com que se alimenta.*

RAPAZ (ra-*paz*) (*substantivo*)

Moço, jovem: **Rapaz** *é o menino que cresceu e está na adolescência e juventude.*

RÁPIDO (*rá*-pi-do) (*adjetivo*)

Ligeiro, veloz: *Dos atletas brasileiros que disputam corridas, muitos estão entre os mais* **rápidos** *do mundo.*

RAPOSA (ra-*po*-sa) (*substantivo*)

Mamífero carnívoro que se parece com o cão (é da mesma família), mas tem focinho mais forte e cauda mais comprida e peluda: *A pele da* **raposa** *é muito valiosa, usa-se para fazer casacos.*

RARO (*ra-ro*) (*adjetivo*)

Que não se encontra facilmente, que não é comum: *O diamante vale muito porque é uma pedra **rara**.*

RASCUNHO (*ras-cu-nho*) (*substantivo*)

Plano ou projeto de um escrito ou de um desenho que está incompleto, que ainda vai ser corrigido e modificado: ***Rascunho** é o mesmo que esboço.*

RASTEJAR (*ras-te-jar*) (*verbo*)

Andar de rastos, arrastar-se pelo chão, como fazem as cobras e as focas: ***Rastejar** também significa "ter sentimentos baixos", ser adulador.*

RATO (*ra-to*) (*substantivo*)

Mamífero roedor que vive nos campo e nas cidades: *Os **ratos** transmitem uma doença perigosa chamada leptospirose.*

RAZÃO (*ra-zão*) (*substantivo*)

Faculdade (poder de fazer, de efetuar), de todos nós, seres humanos, que nos torna superiores aos outros animais: *É pela **razão** que adquirimos conhecimentos, temos ideias e sentimentos, distinguimos o bem do mal.*

REALIZAR (*re-a-li-zar*) (*verbo*)

Fazer, executar, pôr em prática: *No fim do ano vamos **realizar** a festa de formatura.*
Tornar real, verdadeiro: *Lúcio **realizou** o seu sonho de ser médico.*

REBANHO (re-*ba*-nho) (*substantivo*)

Conjunto de animais domésticos (criados pelo homem): ovelhas, cabras, bois. *Quem conduz o* **rebanho** *de ovelhas é o pastor; quem conduz o* **rebanho** *de bois é o vaqueiro.*

RECADO (re-*ca*-do) (*substantivo*)

Aviso, mensagem: *Não pude ir à festa, mas deixei um* **recado** *para a Lenita, desculpando-me.*

RECEAR (re-ce-*ar*) (*verbo*)

Ter medo de alguma coisa: **Receio** *que você tenha se enganado.*

RECEITA (re-*cei*-ta) (*substantivo*)

Modo de preparar uma comida, um doce: *Mamãe gostou do bolo e pediu à amiga que lhe desse a* **receita**.
Indicação de um remédio, redigida pelo médico:
O farmacêutico leu a **receita** *e foi buscar o remédio.*

RECÉM-NASCIDO (re-*cém*-nas-*ci*-do) (*substantivo*)

O que nasceu há pouco tempo:
O **recém-nascido** *era um menino forte e saudável.*

RECIPIENTE (re-ci-pi-*en*-te) (*substantivo*)

Vasilha ou objeto que recebe um conteúdo qualquer: *Há* **recipientes** *para líquidos: copos, vasos, garrafas etc., e para sólidos: caixas, malas, baús etc.*

RECITAR (re-ci-*tar*) (*verbo*)
Dizer em voz alta uma poesia, declamar:
*Na festa da escola Jorge **recitou** uns versos de Castro Alves.*

RECLAMAR (re-cla-*mar*) (*verbo*)
Protestar, queixar-se: *Você foi enganado porque não prestou atenção; agora não adianta **reclamar**.*

RECOMPENSA (re-com-*pen*-sa) (*substantivo*)
Prêmio: *Luís passou no vestibular e seu pai lhe deu como **recompensa** uma viagem a Paris.*

RECORDAR (re-cor-*dar*) (*verbo*)
Lembrar-se de alguma coisa: *Vovó **recorda** os tempos passados e chora.*
Recapitular: *Vamos **recordar** a lição da última aula.*

RECREIO (re-*crei*-o) (*substantivo*)
Divertimento, momento de alimentação e descanso:
*Lindolfo é aluno tão aplicado que estuda até no **recreio**.*

RECUSAR (re-cu-*sar*) (*verbo*)
Não aceitar: *Papai **recusou** o emprego porque o salário era muito baixo.*

REDE (re-de) (*substantivo*)

Espécie de leito, de tecido grosso, que se suspende pelas duas extremidades e se prende por argolas em paredes ou árvores: *Nas* **redes** *as pessoas dormem ou descansam.*
Tecido de malhas para apanhar peixes: *Em certas épocas os governos proíbem a pesca com* **redes**.

REDIGIR (re-di-gir) (*verbo*)

Escrever: *Na prova de redação livre Eduardo* **redigiu** *uma carta ao professor.*

REDONDO (re-don-do) (*adjetivo*)

Que tem forma circular: *A bola, a moeda, o prato são objetos* **redondos**.

REFAZER (re-fa-zer) (*verbo*)

Fazer novamente: *Papai mandou o pedreiro* **refazer** *o muro.*

REFEIÇÃO (re-fei-ção) (*substantivo*)

Porção dos alimentos que se tomam em certas horas do dia: *Foram servidas quatro* **refeições**: *café da manhã, almoço, lanche e jantar.*

REFEITÓRIO (re-fei-tó-rio) (*substantivo*)

Salão em colégios, conventos, hospitais, prisões etc., onde se servem as refeições: *O almoço era servido ao meio-dia, no* **refeitório**.

REFLORESTAMENTO (re-flo-res-ta-*men*-to) (*substantivo*)

Plantação de árvores no lugar de outras que foram derrubadas ou morreram: *O* **reflorestamento** *é necessário para a conservação das grandes áreas verdes da Terra.*

REFRESCO (re-*fres*-co) (*substantivo*)

Bebida gelada que se toma para aliviar o calor: *Gosto de* **refresco** *de abacaxi.*

REFÚGIO (re-*fú*-gio) (*substantivo*)

Lugar seguro onde alguém se abriga ou se esconde: *O aventureiro procurou* **refúgio** *nas montanhas.*

REGAR (re-*gar*) (*verbo*)

Molhar as plantas, a terra: *Todas as manhãs papai* **rega** *o nosso jardim.*

REGRA (re-gra) (*substantivo*)

O que a lei, o uso, o costume, os manuais técnicos mandam fazer ou não fazer: *As* **regras** *do jogo não podem ser mudadas.*

RÉGUA (ré-gua) (*substantivo*)

Objeto com que se traçam linhas retas e se medem comprimentos: *A* **régua** *se divide em milímetros e centímetros.*

REI (substantivo)
Pessoa que governa um reino: *O* **rei** *também se chama monarca.*
A pessoa mais notável dentre todas as de sua classe: *O* **rei** *Pelé.*

REINO (rei-no) (substantivo)
País governado por um rei ou uma rainha: *Cleópatra governou o* **reino** *do Egito.*
Cada uma das divisões em que estão agrupados os seres da natureza: **Reino** *animal,* **reino** *vegetal,* **reino** *mineral.*

REJEITAR (re-jei-*tar*) (verbo)
Recusar, não aceitar: *Lino está doente, seu estômago* **rejeita** *tudo o que ele come.*

RELÂMPAGO (re-*lâm*-pa-go) (substantivo)
Clarão provocado pelo raio: *Logo depois do* **relâmpago** *ouve-se o trovão.*

RELATAR (re-la-*tar*) (verbo)
Narrar, contar: *Os jornais* **relatam** *aos leitores o que acontece em todo o mundo.*

RELEMBRAR (re-lem-*brar*) (verbo)
Lembrar de novo, recordar: *Sempre que vejo um circo* **relembro** *meus tempos de criança.*

RELER (re-*ler*) (*verbo*)
Ler outra vez: *Os bons livros a gente lê e **relê**.*

RELEVO (re-*le*-vo) (*substantivo*)
Parte saliente, quer dizer, que fica acima do plano ou da superfície: *Esta medalha tem uma figura em **relevo**.*
*As montanhas são parte do **relevo** terrestre.*

REMOTO (re-*mo*-to) (*adjetivo*)
Que sucedeu há muito tempo, antigo: *O ano em que o acidente aconteceu é **remoto**, já não lembro.*

REPLICAR (re-pli-*car*) (*verbo*)
Responder a críticas ou argumentos dos outros: *Acusado de preguiçoso, Leonardo **replicou**, demonstrando que estava doente.*

REPORTAGEM (re-por-*ta*-gem) (*substantivo*)
Escrito de jornal, ou programa de rádio ou televisão, com informações sobre determinado assunto: *Foi uma grande **reportagem** sobre a pesca da baleia.*

REPRESA (re-*pre*-sa) (substantivo)
Construção que interrompe o curso de um rio para que a água retida forme um lago ou um grande reservatório: *A água das **represas** (que também se chamam barragens e açudes) é utilizada para fins industriais ou agrícolas.*

REPRESENTAR (re-pre-sen-*tar*) (*verbo*)

Fazer o papel de um personagem numa peça de teatro, num filme, numa novela de televisão: *Na peça* Deus lhe Pague, *o ator Procópio Ferreira* **representava** *um mendigo muito esperto.*

RÉPTIL (*rép*-til) (*substantivo*)

Animal que se arrasta para se locomover: *As cobras, os jacarés, os lagartos, as tartarugas são* **répteis**.

RESIDÊNCIA (re-si-*dên*-cia) (*substantivo*)

Casa ou apartamento onde a gente mora: *A* **residência** *também se chama domicílio.*

RESISTIR (re-sis-*tir*) (*verbo*)

Não ceder, não se deixar abater: *Clarinha esteve muito doente, mas* **resistiu** *bem e já está curada.*
Não aguentar: *Papai não* **resistiu** *aos argumentos de mamãe e comprou uma nova geladeira.*

RESPIRAR (res-pi-*rar*) (*verbo*)

Aspirar, chupar o ar para o interior dos pulmões, e soltá-lo, depois, pelo nariz ou pela boca: *O ar que* **respiramos** *contém o oxigênio, sem o qual não podemos viver.*

RESTAURANTE (res-tau-*ran*-te) (*substantivo*)

Estabelecimento no qual se preparam e servem refeições: *Em Brasília, fomos almoçar num dos melhores* **restaurantes** *da cidade.*

RESTITUIR (res-ti-tu-*ir*) (*verbo*)
Devolver: *É muito feio não* **restituir** *os livros que nos emprestam.*

RETRATO (re-*tra*-to) (*substantivo*)
Imagem de uma pessoa, obtida pela fotografia, pela pintura ou pelo desenho: *Tenho um* **retrato** *de papai que ele tirou quando tinha 15 anos.*

REUNIR (re-u-*nir*) (*verbo*)
Juntar: *O treinador* **reuniu** *os nadadores para as instruções finais.*

RIACHO (ri-*a*-cho) (*substantivo*)
Rio pequeno. *Os* **riachos** *também se chamam regatos.*

RICO (*ri*-co) (*adjetivo*)
Que tem muito dinheiro, muitos bens: *Juvenal era pobre; trabalhou muito e ficou* **rico**.
Abundante: *O solo do Brasil é* **rico** *em minerais.*

RIMA (*ri*-ma) (*substantivo*)

Repetição de sons semelhantes em intervalos determinados e reconhecíveis:

> *Até nas flores se encontra*
> *a diferença da sorte;*
> *umas enfeitam a vida,*
> *outras enfeitam a morte.*

RINOCERONTE (ri-no-ce-*ron*-te) (*substantivo*)

Grande animal quadrúpede que tem um ou dois chifres no focinho:
O **rinoceronte** *é vegetariano, quer dizer, alimenta-se de raízes e vegetais.*

RIO (*ri*-o) (*substantivo*)

Corrente de água que se lança noutro **rio** ou no mar: *O Amazonas é um dos maiores* **rios** *do mundo e o maior da América do Sul; tem 6.857 km de extensão, dos quais 3.165 km em território brasileiro.*

RISONHO (ri-*so*-nho) (*adjetivo*)

Alegre, sorridente: *Ariovaldo é um menino feliz; está sempre* **risonho** *e bem-disposto.*

RITMO (*rit*-mo) (*substantivo*)

Combinação de sons fortes e fracos que determina a cadência, em música e poesia. Perceba o **ritmo** nestes versos:

> *Tique-taque, tique-taque,*
> *meu relógio em casa canta,*
> *tique-taque, tique-taque,*
> *como o tique-taque espanta!*

RIVAL (ri-*val*) (*substantivo*)

Pessoa que deseja a mesma posição que outra; competidor: *Namoro Mariana; Luís também quer namorá-la, é meu* **rival**.

ROBÔ (ro-*bô*) (*substantivo*)

Aparelho mecânico que imita os movimentos humanos. *Os* **robôs** *substituem os operários em diversos trabalhos, especialmente na montagem de automóveis.*

RODA (*ro*-da) (*substantivo*)

Peça de forma circular que se movimenta em torno de um eixo: **Roda** *de automóvel, de bicicleta, de trem, de patim*. Brincadeira infantil em que as crianças, em círculo e de mãos dadas, giram na mesma direção, cantando alegremente: *Numa dessas cantigas de* **roda** *elas dizem*:

> *Roda, roda, roda,*
> *pé, pé, pé,*
> *roda, roda, roda,*
> *caranguejo peixe é!*

RODOPIAR (ro-do-pi-*ar*) (*verbo*)

Dar voltas ao redor de si mesmo, girar muito: *No baile de formatura o Válter e a Valéria eram o par que mais* **rodopiava**.

RODOVIA (ro-do-*vi*-a) (*substantivo*)

Estrada de rodagem: *A* **rodovia** *que liga as cidades de São Paulo e Rio de Janeiro chama-se Via Dutra.*

ROEDOR (ro-e-*dor*) (*adjetivo*)

Que rói, quer dizer, que corta aos poucos com os dentes: *Os ratos e os esquilos são animais* **roedores**.

ROSA (*ro*-sa) (*substantivo*)

Flor da planta chamada roseira: *Há* **rosas** *brancas, amarelas, vermelhas; são todas lindas e perfumadas.*

ROSA DOS VENTOS (*ro*-sa dos *ven*-tos) (*substantivo*)

Instrumento para orientação dos navegantes: *No mostrador da* **rosa dos ventos** *um ponteiro indica as direções dos pontos cardeais: norte, sul, leste, oeste, nordeste, noroeste, sudeste e sudoeste.*

ROUBAR (rou-*bar*) (*verbo*)
Apoderar-se de coisas alheias: *Ontem uma quadrilha de ladrões* **roubou** *um banco da cidade.*

RUBI (ru-*bi*) (*substantivo*)
Pedra preciosa de cor vermelha: *Anel de* **rubi**.

RUDE (*ru*-de) (*adjetivo*)
Grosseiro, sem educação: *Era um homem* **rude**.

RURAL (ru-*ral*) (*adjetivo*)
Que se refere, o que pertence ao campo: *Trabalhador* **rural**, *zona* **rural**.

Ss

S (*substantivo*)

Décima nona letra do abecedário ou alfabeto. Pode ser maiúsculo: S, ou minúsculo: s. O **s** é uma consoante (Veja essa palavra).

SABATINA (sa-ba-*ti*-na) (*substantivo*)

Prova sobre matéria dada em aula: *O professor de inglês avisou que na segunda-feira vai fazer uma **sabatina** em nossa classe.*

SABER (sa-*ber*)

(*verbo*) Ter conhecimento: *Ela já **sabe** a lição.*
Ter certeza: *Eu **sei** que você vai.*
Compreender, entender: *Ele estuda muito, **sabe** tudo.*
Estar informado: *Não **sei** nada sobre o acidente.*
(*substantivo*) Sabedoria: *Era um homem de muito **saber**.*

SÁBIO (sá-bio)

(*adjetivo*) Que sabe muito: *Salomão era **sábio** e prudente.*
(*substantivo*) Aquele que sabe muito, ou soube tudo na sua área de ação: *Na filosofia, Sócrates foi um dos maiores **sábios**; nas ciências, o grande **sábio** foi Einstein.*

SABOR (sa-*bor*) (*substantivo*)
Gosto: *Sentimos o* **sabor** *do que comemos e bebemos pelo sentido do paladar.*

SAFRA (sa-fra) (*substantivo*)
Colheita anual de um produto agrícola: *A* **safra** *do arroz, do feijão, da soja etc.*

SAIR (sa-*ir*) (*verbo*)
Ir de dentro para fora de algum lugar: *O professor mandou Marinho* **sair** *da sala.*
Ficar livre: *Cumprida a pena, ele* **saiu** *da prisão.*
Ir de um lugar para outro: *Ele* **saiu** *de São Paulo para o Rio de Janeiro.*
Ser publicado: *O livro é bom, dele já* **saiu** *a 5ª edição.*
Descarrilar: *O trem* **saiu** *dos trilhos.*

SAL (*substantivo*)
Substância branca que se encontra principalmente na água dos mares e a qual se usa para temperar os alimentos e conservar carnes: *O nome científico do* **sal** *é cloreto de sódio.*

SALÁRIO (sa-*lá*-rio) (*substantivo*)
Porção de dinheiro que uma pessoa recebe pelo trabalho que faz: *No Brasil, o* **salário** *é pago geralmente no fim de cada mês.*

SALTAR (sal-*tar*) (*verbo*)
Pular: **Saltar** *do trampolim,* **saltar** *do muro.*

SANDÁLIA (san-*dá*-lia) (*substantivo*)
Calçado aberto que se ajusta ao
pé por meio de tiras:
As boas **sandálias** *não soltam as tiras.*

SANGUE (*san*-gue) (*substantivo*)
Líquido vermelho que circula pelo corpo através
de veias e artérias:
O **sangue** *leva as substâncias alimentícias
e o oxigênio às várias partes do corpo.*

SAPATEIRO (sa-pa-*tei*-ro) (*substantivo*)
Homem que fabrica, vende ou conserta calçados:
Nélson levou os sapatos ao **sapateiro** *para
um conserto rápido.*

SAPATILHA (sa-pa-*ti*-lha) (*substantivo*)
Calçado de bailarinos: *Com as* **sapatilhas** *a bailarina ficou
na ponta dos pés.*

SAPATO (sa-*pa*-to) (*substantivo*)
Calçado que cobre o pé: *O* **sapato** *novo às vezes machuca
nosso pé.*

SAPO (sa-po) (*substantivo*)
Animal anfíbio, sem cauda, de pele áspera e olhos saltados: *A fêmea do* **sapo** *é a sapa.*

SARAR (sa-rar) (*verbo*)
Curar-se de uma doença: *Fátima esteve gripada, mas já* **sarou**.

SATÉLITE (sa-té-li-te) (*substantivo*)
Astro que gira em torno de um planeta: *A Lua é o* **satélite** *da Terra.*

SATISFAZER (sa-tis-fa-zer) (*verbo*)
Contentar-se: *Quem se* **satisfaz** *fica satisfeito.*
Realizar: *Todos sempre querem* **satisfazer** *algum desejo.*

SAUDAÇÃO (sau-da-ção) (*substantivo*)
Cumprimento: *No final da carta papai escreveu: Cordiais* **saudações**.

SAÚDE (sa-ú-de) (*substantivo*)
Estado de quem não está doente: *Graças a Deus, tenho muita* **saúde**.

SECA (se-ca) (*substantivo*)
Falta de chuvas: *No Nordeste do Brasil as* **secas** *duram muitos meses.*

SECRETO (se-cre-to) (adjetivo)
Que só algumas pessoas conhecem, que é segredo:
*O cofre de nossa casa tem um código **secreto** que só papai conhece.*

SÉCULO (sé-cu-lo) (substantivo)
Período de cem anos: *O **século** XXI (21) vai de 1º de janeiro de 2001 até 31 de dezembro de 2100.*

SEDE (se-de) (substantivo)
Necessidade de beber água:
*Tenho **sede**, dê-me um copo d'água.*

SEGREDO (se-gre-do) (substantivo)
Aquilo que não se deve contar a ninguém: *Cuidado! Não vá revelar nosso **segredo**!*

SEGUIR (se-guir) (verbo)
Ir atrás de alguém ou de alguma coisa:
*Vou na frente, você pode me **seguir**.*
Tomar uma direção: ***Siga** em frente e vire à esquerda.*
Obedecer: *Cristão é o que **segue** os ensinamentos do Cristo.*
Aceitar: ***Siga** o meu conselho, deixe de fumar.*
Imitar: ***Siga** os bons e você será um deles.*

SELO (se-lo) (substantivo)
Pedacinho de papel, de diferentes valores, que se cola no envelope das cartas e nos embrulhos das encomendas: *O **selo** representa o preço que a pessoa paga para o transporte da carta ou da encomenda.*

SELVA (sel-va) (substantivo)
Floresta: *A **selva** também se chama mata virgem.*

SELVAGEM (sel-va-gem)
(*substantivo*) Próprio das selvas ou que ainda não foi civilizado: *Quando Pedro Álvares Cabral chegou ao Brasil, encontrou milhares de **selvagens**.*
(*adjetivo*) Que se refere ou pertence às selvas: *Animais **selvagens**.*
Rude, ignorante, grosseiro: *Era um homem mal-educado, verdadeiro **selvagem**.*
Não domesticado: *Gato **selvagem**, cavalo **selvagem**.*

SEMÁFORO (se-má-fo-ro) (substantivo)
Poste de sinais nos cruzamentos de ruas e avenidas, para orientação dos motoristas: *O **semáforo** também se chama sinaleiro e farol.* (Veja essa palavra.)

SEMANA (se-ma-na) (substantivo)
Intervalo de sete dias: *A **semana** começa no domingo e vai até o sábado seguinte.*

SEMEAR (se-me-*ar*) (*verbo*)
Espalhar sementes na terra, para que elas brotem e se transformem em plantas e frutos: *Quem* **semeia** *é semeador.*

SEMELHANTE (se-me-*lhan*-te) (*adjetivo*)
Parecido com outro: **Semelhante** *é quase igual, mas não é igual.*

SEMENTE (se-*men*-te) (*substantivo*)
Grão que se lança à terra para que germine: *Para germinar e dar bom fruto, a* **semente** *precisa cair em terra fértil.*

SEMESTRAL (se-mes-*tral*) (*adjetivo*)
Que se faz ou se realiza a cada seis meses: *Prova* **semestral**.

SEMESTRE (se-*mes*-tre) (*substantivo*)
Espaço de seis meses: *O ano tem dois* **semestres**; *por isso dizemos: primeiro* **semestre**, *segundo* **semestre**.

SENSACIONAL (sem-sa-cio-*nal*) (*adjetivo*)
Maravilhoso, espetacular: *Foi um jogo* **sensacional**.

SENTIDO (sen-*ti*-do) (*substantivo*)
Cada uma das faculdades (poder de fazer) pelas quais recebemos a impressão dos objetos: *Os* **sentidos** *são cinco: visão, audição, olfato, paladar e tato.*

SENTINELA (sen-ti-*ne*-la) (*substantivo*)
Soldado ou qualquer pessoa que vigia alguma coisa: *O* **sentinela** *não me deixou entrar no quartel.*

SEPARAR (se-pa-*rar*) (*verbo*)

Soltar o que estava unido: *Meu tio **separou-se** de titia, divorciou-se.*
Dividir: *A rede **separa** os dois lados da quadra de voleibol.*
Pôr de lado: *Ao escolher o feijão, mamãe vai **separando** os grãos bons dos maus.*

SEREIA (se-*rei*-a) (*substantivo*)

Ser imaginário, metade mulher, metade peixe:
*O canto da **sereia**, eles diziam, atraía os navegantes para o fundo do mar.*

SÉRIO (*sé*-rio) (*adjetivo*)

Que não ri: *O tio do Juquinha é tão **sério** que parece estar sempre zangado.*
De muito interesse, importante: *Preste atenção que o assunto é **sério**.*

SERPENTE (ser-*pen*-te) (*substantivo*)

Cobra venenosa e grande: *As **serpentes** são perigosas.*

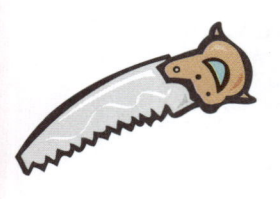

SERRA (*ser*-ra) (*substantivo*)

Lâmina de aço, com vários recortes em forma de dentes: *Com a **serra** se cortam madeiras e metais.*
Série de montanhas: *A **serra** também se chama cordilheira.*

SERTÃO (ser-*tão*) (*substantivo*)

Lugar distante do mar e das cidades: *Os habitantes do* **sertão** *são os sertanejos.*

SETEMBRO (se-*tem*-bro) (*substantivo*)

Nono mês do ano, entre agosto e outubro, com 30 dias: *No dia 7 de* **setembro** *festejamos o dia da Independência do Brasil.*

SEXO (se-xo) (*substantivo*)

O que diferencia o homem da mulher, o macho da fêmea: *Lourival é do* **sexo** *masculino; Lenita, do sexo feminino.*

SIGLA (*si*-gla) (*substantivo*)

Abreviatura formada com as letras iniciais, ou as primeiras sílabas de um nome próprio: *ONU é a* **sigla** *de Organização das Nações Unidas.*

SÍLABA (*sí*-la-ba) (*substantivo*)

Parte da palavra que se pronuncia numa só emissão de voz, num só impulso, de uma só vez: *A palavra juventude tem quatro* **sílabas**: *ju-ven-tu-de; a palavra pé tem apenas uma* **sílaba**.

SILÊNCIO (si-*lên*-cio)

(*substantivo*) Falta de barulho: *O* **silêncio** *da noite.*
(*interjeição*) Expressão com que se manda ficar quieto: **Silêncio**!

SIM (*advérbio*)

Palavra que usamos para afirmar que concordamos, que permitimos, que está certo: *Você vai à festa?* **Sim**.

SINCERO (sin-ce-ro) *(adjetivo)*
Que não é fingido, que diz o que pensa e sente: *Seja* **sincero**, *você gosta mesmo de mim?*

SINO (si-no) *(substantivo)*
Instrumento de bronze que tem uma peça pendurada dentro dele chamada badalo, que ao ser puxada faz o **sino** tocar: *Toda igreja tem uma torre onde ficam os* **sinos**.

SISTEMA (sis-te-ma) *(substantivo)*
Conjunto de elementos organizados: *A laringe é um órgão do* **sistema** *respiratório.*

SOBRENOME (so-bre-no-me) *(substantivo)*
Nome de família, que vem logo depois do nome de batismo: *Em Carlos Gomes, Carlos é o nome de batismo, e Gomes, o* **sobrenome**.

SOBREVIVER (so-bre-vi-ver) *(verbo)*
Continuar a viver depois de passar por um grande perigo: *Ele* **sobreviveu** *ao naufrágio do navio em que viajava.*

SOCIEDADE (so-cie-da-de) *(substantivo)*
Grupo de pessoas que têm os mesmos usos e costumes e obedecem às mesmas leis: *Nós fazemos parte da* **sociedade** *brasileira.*
Associação de pessoas que se reúnem para fazer alguma coisa: abrir uma casa de comércio, fundar um clube etc.:

Sociedade *comercial*, **sociedade** *esportiva*.
Reunião de animais que vivem em grupo organizado:
Sociedade *das formigas, das abelhas*.

SOCORRER (so-cor-rer) (*verbo*)

Ajudar, amparar: *Ninguém deve deixar de* **socorrer** *os que sofrem*.

SOFÁ (so-*fá*) (*substantivo*)

Móvel estofado, com encosto e braços: *Existem* **sofás** *de dois, de três e de mais lugares*.

SOL (*substantivo*)

Estrela ao redor da qual giram a Terra e os outros planetas do Sistema Solar: *Do* **Sol** *recebemos luz e calor; sem ele a vida na Terra seria impossível*.

SOLA (so-la) (*substantivo*)

Parte do calçado que assenta no chão: *Meu tio mandou os sapatos no sapateiro para um conserto de meia-***sola**.

SÓLIDO (só-li-do) (*adjetivo*)

Que não é líquido nem gasoso: *A madeira, o ferro, a terra são a matéria em estado* **sólido**.
Firme: *Construção* **sólida**.

SOLITÁRIO (so-li-*tá*-rio) (*adjetivo*)

Que vive sem ninguém: *Pessoa* **solitária**.

SOLO (so-lo) (substantivo)

O chão em que pisamos: *O* **solo** *é também a terra onde se plantam as sementes.*

SOLTAR (sol-tar) (verbo)

Tornar livre: *Mandaram* **soltar** *o animal que estava preso.*
Largar: *Ela não queria* **soltar** *a minha mão.*
Deixar escapar: ***Soltou*** *um suspiro de alívio.*

SOLUÇÃO (so-lu-ção) (substantivo)

Fim de um problema, de uma dificuldade: *Depois de pensar muito, encontrei a* **solução** *do problema.*

SOMBRA (som-bra) (substantivo)

Espaço em que há pouca luz: *Saia do Sol, fique na* **sombra**.
Projeção escura de uma pessoa, de um animal, de uma coisa qualquer, batidos pela luz: *A* **sombra** *da árvore.*

SOMBRIO (som-bri-o) (adjetivo)

Em que há falta de luz: *Ambiente* **sombrio**.
Triste, meio ameaçador: *Homem de aspecto* **sombrio**.

SONHO (so-nho) (substantivo)

Imagens que vemos e palavras que ouvimos em nossa imaginação, quando dormimos: *Esta noite tive um lindo* **sonho**.
Desejo muito forte: *O* **sonho** *de Pedrinho é ser piloto de Fórmula 1.*

SONORO (so-*no*-ro) (*adjetivo*)

Em que há som, que produz som: *A televisão é um aparelho visual e* **sonoro**.

SOSSEGAR (sos-se-gar) (*verbo*)

Ficar quieto, acalmar-se: *Depois de chorar muito, o bebê* **sossegou**.

SOZINHO (so-zi-nho) (*adjetivo*)

Sem ninguém por perto: *Todos se foram embora e eu fiquei* **sozinho**.
Sem ajuda: *Realizou o trabalho* **sozinho**.

SUAVE (su-*a*-ve) (*adjetivo*)

Agradável: *perfume* **suave**.
Melodioso, harmonioso: *Música* **suave**.
Em que há pouco condimento: *Comida de tempero muito* **suave**.

SUBMARINO (sub-ma-*ri*-no)
(*substantivo*) Embarcação que navega submersa, dentro da água: *Os* **submarinos** *são terríveis armas de guerra*.
(*adjetivo*) Que está debaixo das águas do mar: *plantas* **submarinas**.

SUBSOLO (sub-*so*-lo) (*substantivo*)

Parte da terra logo abaixo do solo que se vê:
No **subsolo** *do Brasil existem grandes riquezas minerais*.

SUBSTÂNCIA (subs-*tân*-cia) (*substantivo*)
Matéria que compõe as coisas: *O ferro é uma* **substância** *resistente*.
O que os alimentos contêm de nutritivo: *A banana é uma fruta de muita* **substância**.

SUBSTANTIVO (subs-tan-*ti*-vo) (*substantivo*)
Nome das coisas, dos animais, das pessoas: *O* **substantivo** *pode ser comum: lápis, caderno, mesa etc., ou próprio: Pedro, Antônio, Brasil etc.*

SUCO (*su*-co) (*substantivo*)
Líquido que se extrai das frutas, das plantas: **Suco** de abacaxi, **suco** das folhas da laranjeira.

SUGERIR (su-ge-*rir*) (*verbo*)
Dar uma opinião: *Ariovaldo* **sugeriu** *que a turma se reunisse na casa dele*.

SUÍNO (su-*í*-no)
(*adjetivo*) Que se refere ao porco: *gado* **suíno**.
(*substantivo*) Porco: *Na fazenda há grande número de* **suínos**.

SUJO (*su*-jo) (*adjetivo*)
Que não está limpo: *O carro ficou todo* **sujo** *da lama da estrada*.

SUL (substantivo)

Ponto cardeal oposto ao Norte: *No Brasil, a região* **Sul** *inclui os estados do Rio Grande do Sul, Santa Catarina e Paraná.*

SUPERFÍCIE (su-per-*fí*-cie) (substantivo)

A parte de cima das coisas, principalmente das terras e das águas: *É preciso saber nadar para ficar na* **superfície** *e não afundar.*

SUPERSTIÇÃO (su-pers-ti-*ção*) (substantivo)

Crença na sorte e no azar: *Por* **superstição**, *certas pessoas acham que o número 13 dá azar.*

SUPORTAR (su-por-*tar*) (verbo)

Aguentar: *Julinha não* **suporta** *o frio.*

SURDO (*sur*-do) (adjetivo)

Que não ouve: *O grande músico Beethoven era* **surdo**.

SURPREENDER (sur-pre-en-*der*) (verbo)

Pegar desprevenido: *Toninho foi* **surpreendido** *pela mãe quando pegava outro doce na geladeira.*
Provocar grande admiração: *A inteligência de Fausto* **surpreendeu** *o professor.*

Tt

T (*substantivo*)

Vigésima letra do abecedário ou alfabeto. Pode ser maiúsculo: T, ou minúsculo: t. O **t** é uma consoante (Veja essa palavra).

TABA (*ta*-ba) (*substantivo*)

Aldeia indígena: *A **taba** é um conjunto de ocas.*

TÁBUA (*tá*-bua) (*substantivo*)

Peça plana de madeira: *As **tábuas** são cortadas diretamente do tronco das árvores derrubadas.*

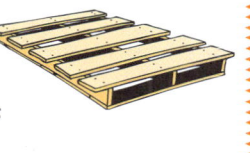

TAÇA (*ta*-ça) (*substantivo*)

Recipiente parecido com um vaso, largo e pouco fundo: *Na festa, disse o tio de Naná: "Para um brinde, ergamos nossas **taças**"!*
Troféu de vitória esportiva, também chamada copa.

TACAPE (ta-*ca*-pe) (*substantivo*)

Pedaço de pau muito pesado, usado como arma pelos indígenas: ***Tacape** significa "arma valente na guerra".*

TAGARELA (ta-ga-re-la) (adjetivo)

Que fala sem parar: *Uma das características do Toninho é que ele é muito* **tagarela**.

TAMANDUÁ (ta-man-du-á) (substantivo)

Mamífero sem dentes que se alimenta de formigas: *O mais conhecido de todos é o* **tamanduá**-*bandeira*.

TAMANHO (ta-ma-nho) (adjetivo)

Grandeza, a extensão de alguma coisa: *O* **tamanho** *pode ser grande ou pequeno*.

TAMBOR (tam-bor) (substantivo)

Caixa redonda sobre a qual se esticou um pedaço de couro, em que se bate com uma ou duas varetas: *Dá-se também o nome de* **tambor** *à pessoa que o toca*.

TANQUE (tan-que) (substantivo)

Reservatório para conter água ou outro líquido: **Tanque** *de lavar roupas*.
Carro de guerra, chamado, precisamente, **tanque** de guerra.

TAPEAR (ta-pe-*ar*) (*verbo*)

Enganar, lograr: *Quem engana ou **tapeia** é enganador, tapeador.*

TARDE (*tar*-de)

(*advérbio*) Fora do tempo ajustado: *Ele chegou **tarde**, perdeu metade do jogo.*

(*substantivo*) Espaço de tempo entre o meio-dia e a noite: *Hoje à **tarde** vamos ao clube.*

TARDIO (tar-*di*-o) (*adjetivo*)

Que chega tarde, ou fora do tempo próprio: *Foi uma decisão **tardia**.*

TAREFA (ta-*re*-fa) (*substantivo*)

Porção de trabalho que se deve fazer num certo tempo: *Mamãe se queixa de que quase não dá conta das **tarefas** domésticas.*

TARTARUGA (tar-ta-*ru*-ga) (*substantivo*)

Animal réptil, muito conhecido por causa da carapaça que lhe cobre o corpo: *Há **tartarugas** que vivem no mar; mas existem espécies terrestres, que se alimentam de plantas, insetos, minhocas.*

TATO (*ta*-to) (*substantivo*)

Sentido com que avaliamos a solidez, a temperatura, a forma e a extensão das coisas: *O **tato** está na ponta dos dedos, com os quais tocamos os objetos, as pessoas, os animais.*

TATUAGEM (ta-tu-a-gem) (*substantivo*)
Desenho ou pintura feito na pele com agulhas cheias de tinta: *Lineu tem uma* **tatuagem** *no alto do braço direito.*

TEATRO (te-a-tro) (*substantivo*)
Arte de representar: *No* **teatro** *os atores representam dramas, comédias etc.*
Onde se representam as peças de teatro: **Teatro** *Municipal.*

TECIDO (te-ci-do) (*substantivo*)
Pano com o qual se fazem roupas, toalhas, cortinas, revestimentos de móveis etc.: *Mamãe mandou recobrir o sofá da sala com* **tecido** *estampado.*

TEIA (tei-a) (*substantivo*)
Rede feita pela aranha: *Na* **teia** *a aranha apanha os insetos com que se alimenta.*

TEIMAR (tei-mar) (*verbo*)
Ser teimoso: *Não adianta dizer ao Edu que não faça; ele* **teima**, *e faz.*

TEIMOSO (tei-mo-so) (*adjetivo*)
Que teima, que insiste: *Às vezes é bom sermos* **teimosos**; *acabamos por acertar.*

TELEFONE (te-le-*fo*-ne) (*substantivo*)

Aparelho com o qual se transmitem as palavras a grandes distâncias: *Os modernos* **telefones** *não têm fios; mais modernos ainda são os celulares.*

TELÉGRAFO (te-*lé*-gra-fo) (*substantivo*)

Aparelho com que se enviam notícias a grandes distâncias, por meio de um sistema especial de sinais: *Os* **telégrafos** *geralmente não têm fios.*

TELEGRAMA (te-le-*gra*-ma) (*substantivo*)
Mensagem enviada pelo telégrafo: Sempre que chega um **telegrama** mamãe se assusta.

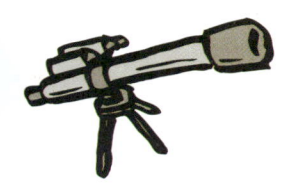

TELESCÓPIO (te-les-*có*-pio) (*substantivo*)

Instrumento com que se observam as estrelas, os planetas e outros corpos celestes. *Os cientistas que usam o* **telescópio** *são os astrônomos.*

TELEVISÃO (te-le-vi-*são*) (*substantivo*)

Transmissão a grandes distâncias de imagens em preto e branco e coloridas: *O jogo entre o Brasil e a Alemanha vai ser transmitido pela* **televisão**.

Aparelho receptor de televisão: *Este aparelho também se chama* **televisor**.

TEMER (te-*mer*) (*verbo*)

Ter medo de alguma coisa: *Pedrinho **teme** o quarto escuro.*
Recear: ***Temo** que você tenha ficado ofendido.*

TEMÍVEL (te-*mí*-vel) (*adjetivo*)

Que causa temor, que dá medo: *Era uma **temível** tempestade.*

TEMOR (te-*mor*) (*substantivo*)

Medo, receio: *O **temor** do castigo impede o crime.*
Respeito, reverência: ***Temor** a Deus.*

TEMPERATURA (tem-pe-ra-*tu*-ra) (*substantivo*)

Sensação de frio ou de calor em nosso corpo: *Joaninha teve gripe com **temperatura** acima de 38 graus.*

Grau de calor ou frio de um ambiente: *A **temperatura** está agradável, boa para a nossa viagem.*

TEMPERO (tem-*pe*-ro) (*substantivo*)

O que se põe na comida para lhe dar sabor: *O **tempero** também se chama condimento.*

TEMPESTADE (tem-pes-*ta*-de) (*substantivo*)

Agitação violenta da atmosfera, com muita chuva, raios e trovões: *A **tempestade** caiu de repente e provocou inundações.*

TEMPLO (tem-plo) (*substantivo*)

Edifício destinado a culto religioso: ***Templo** evangélico.*

TEMPO (tem-po) (*substantivo*)

Conjunto de dias, horas, momentos, compondo o presente, o passado e o futuro: *Na vida há* **tempo** *para tudo*.
Época: *Pedro Álvares Cabral viveu no* **tempo** *dos grandes navegadores*.
Estado frio ou quente, bom ou chuvoso, da atmosfera: *O* **tempo** *está favorável, vamos viajar!*
Momento livre: *Quero falar com você, mas agora não tenho* **tempo**.
Em gramática, tempo de um verbo é o momento ou a época em que se realiza a ação: *"Ando" é* **tempo** *presente; "andei" é passado; "andarei", é futuro*.

TEMPORADA (tem-po-*ra*-da) (*substantivo*)

Tempo em que se realiza alguma coisa: **Temporada** *de caça,* **temporada** *de pesca*.
Espaço de tempo: *Julinho vai passar uma* **temporada** *na fazenda de seu pai*.

TEMPORAL (tem-po-*ral*) (*substantivo*)

Tempestade: *O violento* **temporal** *derrubou muitas árvores*.

TEMPORÁRIO (tem-po-*rá*-rio) (*adjetivo*)

Que dura certo tempo: *O fechamento do cinema é* **temporário**, *logo estará aberto ao público*.

TENDA (ten-da) (substantivo)
Barraca onde os soldados se abrigam e passam a noite: *Chamam-se **tendas**, também, os abrigos improvisados que se armam nos desertos.*

TERMÔMETRO (ter-mô-me-tro) (substantivo)
Aparelho com que se mede o grau de temperatura do nosso corpo ou de um lugar: *Usa-se o **termômetro** para ver se a pessoa está com febre.*

TERRA (ter-ra) (substantivo)
O planeta em que habitamos: *A **Terra** é um dos planetas do Sistema Solar.*
Solo no qual se espalham as sementes: ***terra** fértil.*
Região, lugar: *Os grandes navegadores descobriram novas **terras**, até então desconhecidas.*
Pátria: *O Brasil é a **terra** em que nasci.*

TERRÁQUEO (ter-rá-queo) (substantivo)
Habitante da Terra: *Os **terráqueos** defendem a Terra dos ataques de seres de outros planetas (mas isto apenas nos filmes de ficção científica).*

TERREMOTO (ter-re-mo-to) (substantivo)
Tremor de terra: *Durante os **terremotos** cidades inteiras são destruídas.*

TERRESTRE (ter-*res*-tre) (*adjetivo*)

Que se refere ou pertence à Terra: *Globo* **terrestre**.
Que vive na terra e não na água: *Animais* **terrestres**.
Feito por terra: *Os trens, ônibus, caminhões são transportes* **terrestres**.

TERRÍVEL (ter-*rí*-vel) (*adjetivo*)

Que causa grande medo: *O leão é um animal* **terrível**.
Que provoca infelicidade e dor: *Foi um crime* **terrível**.
Muito forte: *Uma* **terrível** *tempestade*.

TERROR (ter-*ror*) (*substantivo*)

Grande medo: *As guerras sempre são causa de muito* **terror**.

TESOURA (te-*sou*-ra) (*substantivo*)

Instrumento cortante composto de duas lâminas reunidas por um eixo, sobre o qual elas se movem: *A* **tesoura** *é um importante instrumento de costura*.

TESOURO (te-*sou*-ro) (*substantivo*)

Grande quantidade de dinheiro ou de objetos preciosos: *Pedrinho leu um livro chamado* A Ilha do **Tesouro**, *história de uns piratas e um* **tesouro** *escondido*.

TIA (*ti*-a) (*substantivo*)

Irmã do pai ou da mãe: *Quando é do pai, dizemos* **tia** *paterna; quando da mãe,* **tia** *materna*.

TIGRE (ti-gre) (substantivo)
Mamífero carnívoro, muito feroz: *A fêmea do **tigre** é a tigresa.*

TIJOLO (ti-*jo*-lo) (substantivo)
Peça de barro cozido: *Os **tijolos** são as peças principais das construções.*

TÍMIDO (*tí*-mi-do) (adjetivo)
Acanhado: *Lélio é um menino inteligente, mas muito **tímido**.*

TINTA (tin-ta) (substantivo)
Líquido colorido para escrever, tingir, imprimir, pintar: *Papai comprou **tinta** para pintar nossa casa.*

TIRITAR (ti-ri-*tar*) (verbo)
Tremer com frio: *Sem blusa, Lolita estava **tiritando**.*

TOALHA (to-*a*-lha) (substantivo)
Peça de linho, algodão etc., com a qual se cobrem mesas e enfeitam altares: *As **toalhas** dos altares são sempre muito brancas.*
Peça de pano felpudo para enxugar o corpo: ***Toalha** de banho, **toalha** de rosto.*

TOBOGÃ (to-bo-*gã*) (substantivo)
Rampa ondulada em que as pessoas deslizam sentadas: *O **tobogã** é um brinquedo divertido.*

TOCAR (to-*car*) (*verbo*)
Pôr a mão em alguém ou alguma coisa: *Num gesto de carinho João **tocou** o ombro de Maria.*
Fazer soar um instrumento musical: ***Tocar** piano.*
Soar: *Corra, que o sinal já **tocou**.*

TOLICE (to-*li*-ce) (*substantivo*)
Asneira, bobagem: *É **tolice** pensar que se pode tudo.*

TOLO (*to*-lo) (*adjetivo*)
Que não tem juízo: *Só os **tolos** pensam que é possível passar de ano sem estudar.*

TOMATE (to-*ma*-te) (*substantivo*)
Fruto da planta chamada tomateiro: *O **tomate** é excelente no preparo de saladas e molhos.*

TONELADA (to-ne-*la*-da) (*substantivo*)
Medida que vale mil quilos: *Conseguimos arrecadar mais de uma **tonelada** de alimentos para as vítimas da seca.*

TÔNICO (*tô*-ni-co) (*adjetivo*)
Que dá força e vigor: *Remédio **tônico**.*
Que se pronuncia com mais força: *Sílaba **tônica**.*

TOPO (*to*-po) (*substantivo*)
A parte mais alta: *O **topo** da montanha.*

243

TÓRAX (tó-rax) (substantivo)

Parte do corpo que vai do pescoço até o abdome: *O **tórax** se acha na caixa ou região toráxica.*

TORRE (tor-re) (substantivo)

Construção estreita e alta: *Do alto da torre podia-se observar uma linda paisagem.* **Torre** é também o nome de uma das peças do jogo de xadrez.

TOSQUIAR (tos-qui-*ar*) (verbo)

Cortar bem rente o pelo ou o cabelo. **Tosquiar** é, principalmente, cortar a lã das ovelhas.

TOURO (tou-ro) (substantivo)

Animal mamífero com chifres e pelos de várias cores: *O **touro** é o boi não castrado, que se junta à vaca para dar os bezerrinhos.*

TÓXICO (tó-xi-co) (adjetivo)

Que envenena: *o fumo, o álcool, as drogas são substâncias **tóxicas** capazes de matar.*

TRABALHADOR (tra-ba-lha-*dor*)

(adjetivo) Que trabalha: *homem **trabalhador**.*

(substantivo) Aquele que trabalha, que tem uma profissão: *O pai de Estêvão é um dos **trabalhadores** da indústria automobilística.*

TRABALHAR (tra-ba-*lhar*) (*verbo*)
Executar um trabalho: *Vários operários* **trabalham** *na construção do edifício.*

TRÁFEGO (*trá*-fe-go) (*substantivo*)
Trânsito de veículos: *Nossa professora chegou atrasada por causa do* **tráfego** *nas ruas da cidade.*

TRAFICANTE (tra-fi-*can*-te) (*substantivo*)
Pessoa que faz tráfico: *O* **traficante** *é um criminoso e por isso sempre acaba preso.*

TRÁFICO (*trá*-fi-co) (*substantivo*)
Compra e venda ilegais: **tráfico** *de armas,* **tráfico** *de drogas.*

TRAIR (tra-*ir*) (*verbo*)
Enganar: *Ninguém deve* **trair** *as leis do país em que vive.*

> **TRAJE** (*tra*-je) (*substantivo*)
> Vestuário, roupa: *Para a festa da noite todos vão usar* **traje** *a rigor.*

TRAJETO (tra-*je*-to) (*substantivo*)
Caminho, percurso: *É longo o* **trajeto** *desde a escola até o centro da cidade.*

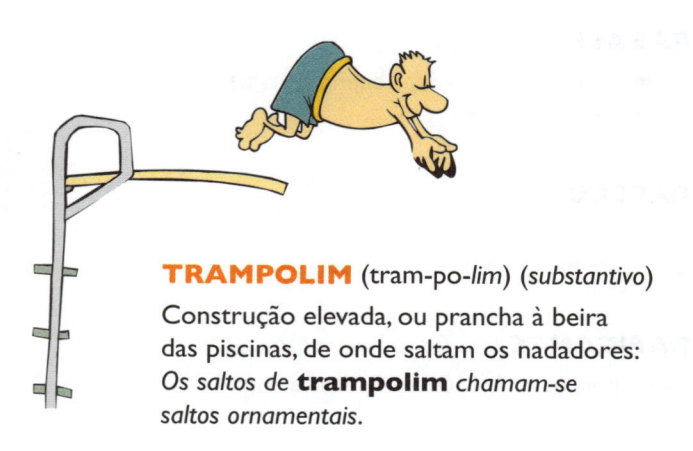

TRAMPOLIM (tram-po-*lim*) (*substantivo*)
Construção elevada, ou prancha à beira das piscinas, de onde saltam os nadadores: *Os saltos de* **trampolim** *chamam-se saltos ornamentais.*

TRANCAR (tran-*car*) (*verbo*)
Fechar, prender, para que ninguém entre: *Toda noite mamãe pergunta ao papai se ele já* **trancou** *a porta.*

TRANQUILO (tran-*qui*-lo) (*adjetivo*)
Calmo, sossegado: *Fique* **tranquilo**, *eu vou atender o seu pedido.*

TRANSBORDAR (trans-bor-*dar*) (*verbo*)
Sair para fora das bordas: *A pia da cozinha entupiu e encheu de água, que* **transbordou** *e molhou o chão.*

TRANSEUNTE (tran-se-*un*-te) (*substantivo*)
Pessoa que vai andando ou passando: *Os* **transeuntes** *são os pedestres, as pessoas que passam nas ruas.*

TRANSFUSÃO (trans-fu-são) (*substantivo*)

Passagem de algum líquido de um lugar para o outro: *Quando uma pessoa sofre um grave acidente pode ser necessário fazer* **transfusão** *de sangue.*

TRANSITAR (tran-si-*tar*) (*verbo*)

Passar por algum lugar, percorrer: *Turistas de todo o mundo* **transitam** *pelo Brasil.*

TRÂNSITO (*trân*-si-to) (*substantivo*)

Movimento de veículos e pedestres: **Trânsito** *é o mesmo que tráfego.*

TRANSLAÇÃO (trans-la-ção) (*substantivo*)

Movimentos dos astros em suas órbitas: *A* **translação** *da Terra em torno do Sol é feita em 365 dias, 5 horas, 48 minutos e 46 segundos.*

TRANSMISSÃO (trans-mis-são) (*substantivo*)

Ato de enviar de um lugar para outro: **Transmissão** *de imagens de tevê,* **transmissão** *de um jogo.*

TRANSMITIR (trans-mi-*tir*) (*verbo*)

Fazer a transmissão de alguma coisa: *Os jornais* **transmitem** *notícias boas e ruins.*

TRANSPARENTE (trans-pa-*ren*-te) (*adjetivo*)

Que deixa distinguir os objetos, que deixa ver do outro lado: *Os vidros são* **transparentes**.

TRANSPIRAR (trans-pi-*rar*) (*verbo*)

Suar: *Depois da corrida Julinho estava **transpirando** por todo o corpo.*

TRANSPORTAR (trans-por-*tar*) (*verbo*)

Levar de um lugar para outro: *Quando mudamos, o caminhão **transportou** nossos móveis para a nova casa.*

TRAPACEIRO (tra-pa-*cei*-ro) (*adjetivo*)

Enganador: *Orlando sempre ganha o jogo, não porque joga bem, mas porque é **trapaceiro**.*

TRAVESSIA (tra-ves-*si*-a) (*substantivo*)

Ato de atravessar uma região, um rio, um mar: *Pela ponte Rio–Niterói se faz a **travessia** de um largo trecho de mar.*

TREINAR (trei-*nar*) (*verbo*)

Preparar-se para a boa realização de alguma coisa: *Vou **treinar** muito para o futsal da semana que vem.*

TREM (*substantivo*)

Conjunto de vagões puxados por uma locomotiva: *Os **trens** deslizam sobre os trilhos das estradas de ferro.*

TREMULAR (tre-mu-*lar*) (*verbo*)

Mover-se, agitando-se: *A bandeira **tremulava** ao vento.*

TRÊMULO (trê-mu-lo) (*adjetivo*)

Que treme: *João estava* **trêmulo** *de medo.*

TRENÓ (tre-*nó*) (*substantivo*)

Carro que em vez de rodas tem patins, que deslizam sobre a neve: *Os* **trenós** *são puxados por renas acostumadas ao frio da neve.*

TRIBO (*tri*-bo) (*substantivo*)

Grupo de pessoas que obedecem a um chefe: **Tribo** *de índios.*

TRICOLOR (tri-co-*lor*) (*adjetivo*)

De três cores: *A camisa do meu time é* **tricolor**: *preta, vermelha e branca.*

TRIGO (*tri*-go) (*substantivo*)

Grão de uma planta do mesmo nome, usado principalmente na fabricação de pão: *Para fazer o pão os grãos de* **trigo** *são reduzidos a farinha, a conhecida farinha de* **trigo**.

TRIMESTRAL (tri-mes-*tral*) (*adjetivo*)

Que acontece de três em três meses: *Prova* **trimestral**.

TRIMESTRE (tri-*mes*-tre) (*substantivo*)

Espaço de três meses: *O ano tem quatro* **trimestres**.

TRIPULAÇÃO (tri-pu-la-ção) (*substantivo*)

Conjunto dos marinheiros de uma embarcação: *A **tripulação** do navio era numerosa.*
Conjunto dos pilotos e comissários de bordo de um avião: *Na queda do avião toda a **tripulação** se salvou.*

TRIPULANTE (tri-pu-*lan*-te) (*substantivo*)

Pessoa que faz parte de uma tripulação: *Os **tripulantes** do navio, os **tripulantes** do avião.*

TRISTE (*tris*-te) (*adjetivo*)

Que não está alegre; abatido: *Paulinho repetiu o ano, com o que sua mãe ficou muito **triste**.*

TRISTONHO (tris-*to*-nho) (*adjetivo*)

Que revela tristeza: *Reinaldo tinha um aspecto **tristonho**.*
Que dá tristeza: *Era um dia de sol, escuro e **tristonho**.*

TRONCO (*tron*-co) (*substantivo*)

Parte da árvore, entre a raiz e os primeiros ramos: *É enorme e forte o **tronco** do jequitibá.*
Parte do corpo, entre a cabeça e os membros: *O corpo humano divide-se em três partes: cabeça, **tronco** e membros.*

TROVÃO (tro-*vão*) (*substantivo*)

Grande estrondo produzido por descarga elétrica da atmosfera: *O* **trovão** *vem logo depois do relâmpago.*

TROVEJAR (tro-ve-*jar*) (*verbo*)

Haver trovões: *Nas grandes tempestades o céu* **troveja**. Produzir barulho semelhante ao do trovão, gritar muito: *O homem, nervoso,* **trovejava**.

TROVOADA (tro-vo-*a*-da) (*substantivo*)

Muitos trovões sucessivos: *A* **trovoada** *dava medo.*

TUCANO (tu-*ca*-no) (*substantivo*)

Ave de bico enorme e penas muito coloridas: *O* **tucano** *vive trepado nas árvores e alimenta-se de frutas.*

TÚMULO (*tú*-mu-lo) (*substantivo*)

Onde uma pessoa morta é enterrada: *O* **túmulo** *também se chama sepultura e sepulcro.*

TÚNEL (*tú*-nel) (*substantivo*)

Passagem subterrânea, caminho por dentro de uma montanha: *São Paulo é uma cidade em que há muitos* **túneis** *e viadutos.*

TURISTA (tu-*ris*-ta) (*substantivo*)

Pessoa que viaja para se divertir ou adquirir cultura: *O Rio de Janeiro é uma das cidades mais procuradas pelos* **turistas**.

TURMA (*tur*-ma) (*substantivo*)
Grupo de pessoas que se reúnem para diversas atividades: **turma** *de trabalhadores,* **turma** *de alunos: Todo menino tem a sua* **turma**.

TURVO (*tur*-vo) (*adjetivo*)
Escuro, sem transparência: *Era uma enxurrada de águas* **turvas**.

Uu

U (*substantivo*)

Vigésima primeira letra do abecedário ou alfabeto. Pode ser maiúsculo: U, ou minúsculo: u. O **u** é uma vogal (Veja essa palavra).

UFANAR (-SE) (u-fa-*nar*) (*verbo*)
Orgulhar-se: *Eu me* **ufano** *do meu país.*

UIVAR (ui-*var*) (*verbo*)
Soltar uivos: *O lobo* **uiva** *nas noites de lua.*

UIVO (*ui*-vo) (*substantivo*)
Voz de alguns animais, principalmente do lobo.
Gemido de cães: *Ouvia-se ao longe o* **uivo** *do cão.*

ÚLTIMO (*úl*-ti-mo) (*adjetivo*)
Que está, ou que vem depois de todos os outros: *Na classe eu me sentava na* **última** *carteira.*

UMBIGO (um-*bi*-go) (*substantivo*)
Sinal (é uma cicatriz) que fica no ventre das pessoas, no lugar onde se cortou o cordão umbilical: *Há* **umbigos** *bem-feitinhos, outros, nem tanto.*

UMEDECER (u-me-de-*cer*) (*verbo*)

Molhar um pouco, deixar úmido: *Era calor, Joãozinho* **umedeceu** *o lenço para refrescar a testa.*

ÚMIDO (*ú*-mi-do) (*substantivo*)

Um pouco molhado: *Zulmira usa um pano* **úmido** *para tirar o pó dos móveis.*

UNHA (*u*-nha) (*substantivo*)

Parte dura que cobre a ponta dos dedos das mãos e dos pés: *As* **unhas** *crescem depressa, é preciso cortá-las com cuidado.*

UNIÃO (u-ni-ão) (*substantivo*)

Ajuntamento de duas ou mais pessoas ou coisas: *Todos dizem, e é verdade: a* **união** *faz a força.*

ÚNICO (*ú*-ni-co) (*adjetivo*)

Só, sem mais ninguém: *Pedrinho foi o* **único** *aluno que recebeu nota A.*

UNIR (u-*nir*) (*verbo*)

Juntar o que estava separado: *Para fazer o livro é preciso* **unir** *as folhas soltas.*

UNIVERSAL (u-ni-ver-*sal*) (*adjetivo*)

Do universo, do mundo inteiro: *A história* **universal** *trata de tudo quanto existiu, existe e existirá.*

UNIVERSO (u-ni-*ver*-so) (*substantivo*)
Conjunto de todos os corpos celestes (estrelas, planetas, cometas etc.), com tudo o que neles existe: *Não é fácil entender, mas o* **universo** *é infinito, quer dizer, não tem fim.*

URBANO (ur-*ba*-no) (*adjetivo*)
Que se refere ou pertence à cidade: **Urbano** *é o contrário de rural (veja essa palavra).*

URGENTE (ur-*gen*-te) (*adjetivo*)
Que se deve fazer logo; se possível, imediatamente: *Quando se machucou, Luciano precisou de um atendimento médico* **urgente**.

URSO (*ur*-so) (*substantivo*)
Animal mamífero carnívoro, de pelo macio, cabeça e unhas grandes: *Há* **ursos** *brancos, pardos e pretos; quando não domesticados, são muito ferozes.*

USAR (u-*sar*) (*verbo*)
Fazer uso de alguma coisa: *Todas as coisas devemos* **usar** *sem abusar.*

USO (*u*-so) (*substantivo*)
Ato de usar, de empregar: *O* **uso** *de palavras difíceis torna o texto de difícil compreensão.*
Costume: *Já saiu de moda o* **uso** *de cabelos compridos por rapazes e homens.*

UTENSÍLIO (u-ten-sí-lio) (*substantivo*)

Instrumento de trabalho, ferramenta, objeto que usamos para fazer alguma coisa: **Utensílios** *de cozinha, de escritório.*

ÚTIL (*ú-til*) (*adjetivo*)

Que se pode utilizar, que tem serventia: *Os livros estão entre as coisas mais* **úteis** *deste mundo.*

UTILIZAR (u-ti-li-z*ar*) (*verbo*)

Fazer uso de alguma coisa: *Vou* **utilizar** *esta caneta na minha prova de redação.*

UVA (*u*-va) (*substantivo*)

Fruto da planta chamada videira: *Os bagos (ou grãos) de* **uva** *se juntam em cachos, ou racimos.*

Vv

V (*substantivo*)

Vigésima segunda letra do abecedário ou alfabeto. Pode ser maiúscula: V, ou minúscula: v. O **v** é uma consoante (Veja essa palavra).

VACA (*va-*ca) (*substantivo*)

Fêmea do touro: *Da* **vaca** *tudo se aproveita: a carne, o leite, os ossos (fazem-se botões), o couro (fazem-se sapatos, bolsas, cintos) e o chifre.*

VACINA (va-*ci-*na) (*substantivo*)

Preparado medicinal para evitar certa doença: **Vacina** *contra a poliomielite (paralisia infantil),* **vacina** *contra o sarampo.*

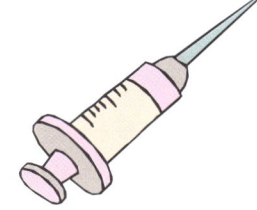

VACINAR (va-ci-*nar*) (*verbo*)

Aplicar vacina em alguém ou num animal: *O homem* **vacinou** *nosso cão contra a raiva.*

257

VADIO (va-*di*-o) (*adjetivo*)
Que não gosta de trabalhar, vagabundo: *Ninguém deve ser* **vadio**, *todos devem trabalhar*.
Sem dono: *Cão* **vadio**.

VAGA-LUME (va-ga-*lu*-me) (*substantivo*)
Inseto que tem em seu corpo uma luzinha que apaga e acende: *O* **vaga-lume** *também se chama pirilampo*.

VAGÃO (va-gão) (*substantivo*)
Unidade do trem para o transporte de passageiros e cargas: *O conjunto de* **vagões** *e a locomotiva forma o trem*.

VAIDOSO (vai-*do*-so) (*adjetivo*)
Que gosta de se exibir, de parecer mais do que é: *Era um bom professor, porém, muito* **vaidoso**.

VALENTE (va-*len*-te) (*adjetivo*)
Corajoso, destemido: *Pedrinho não tem medo do escuro, é um menino* **valente**.

VALIOSO (va-li-o-so) (*adjetivo*)
Que vale muito: *Era um anel* **valioso**.
Importante: *Quando eu era pequeno papai me deu conselhos* **valiosos**.

VALOR (va-*lor*) (*substantivo*)

Preço: *Mamãe ganhou uma joia de muito* **valor**.
Valentia, coragem: *Homem de* **valor**.
Importância: *Temos de dar* **valor** *ao que fazemos*.

VAQUEIRO (va-*quei*-ro) (*substantivo*)

Guarda ou condutor de gado: *Os* **vaqueiros** *levam ao pasto o gado*.

VASILHA (va-*si*-lha) (*substantivo*)

Qualquer vaso para guardar líquidos ou sólidos: *Uma* **vasilha** *cheia de água*.

VASO (*va*-so) (*substantivo*)

Recipiente para líquidos ou sólidos muito utilizado para enfeite: *Um* **vaso** *de flores*.
Recipiente vazio, artisticamente trabalhado: *Um rico* **vaso** *de porcelana decorada*.

VASSOURA (vas-*sou*-ra) (*substantivo*)

Utensílio com que se varre o chão: *As* **vassouras** *mais comuns são as de piaçaba*.

VASTO (*vas*-to) (*adjetivo*)

Muito grande, imenso: **Vastos** *mares e florestas*.

VAZAR (va-*zar*) (*verbo*)

Deixar escorrer o líquido que se acha num vaso ou numa vasilha: *A bacia furou, a água está* **vazando**.

VAZIO (va-zi-o) (*adjetivo*)

Que não contém coisa alguma: *O tanque de gasolina do carro está* **vazio**.

VEGETAÇÃO (ve-ge-ta-ção) (*substantivo*)

Conjunto dos vegetais, das plantas: *A* **vegetação** *da Amazônia*.

VEGETAL (ve-ge-*tal*)

(*substantivo*) Planta: *Em Biologia também estudamos* **vegetais**.

(*adjetivo*) Que se refere às plantas: *Há na natureza os reinos mineral,* **vegetal** *e animal*.

VEGETARIANO (ve-ge-ta-ri-*a*-no) (*adjetivo*)

Que é partidário da alimentação só à base de vegetais: *Meu tio é* **vegetariano**, *não come carne*.

VEIA (*vei*-a) (*substantivo*)

Canal que leva o sangue ao coração: *O conjunto do coração,* **veias** *e artérias compõe o sistema circulatório*.

VEÍCULO (ve-*í*-cu-lo) (*substantivo*)

Carro, meio de transporte: *Os automóveis são* **veículos** *de quatro rodas; as motocicletas são veículos de duas*.

VELA (ve-la) (substantivo)

Peça cilíndrica de cera, com um pavio, a que se põe fogo para clarear o ambiente: *Sempre que falta a força elétrica, mamãe acende umas* **velas**.
Pano largo e forte, preso ao mastro de uma embarcação: *O barco a* **vela** *depende do vento para ganhar velocidade*.
Peça dos motores de explosão: *Nos carros, as* **velas** *dão a partida ao motor*.

VELHO (ve-lho)

(*adjetivo*) Que tem muita idade: Homem **velho**.

Que existe há muito tempo: *Era uma* **velha** *catedral, construída no século passado*.
(*substantivo*) Homem idoso, ancião: *É melhor dizer "o ancião", "o idoso", que "o velho"*.

VELOZ (ve-loz) (adjetivo)

Rápido, ligeiro: *Das corridas oficiais participam os carros mais* **velozes** *do mundo*.

VENCEDOR (ven-ce-dor)

(*adjetivo*) Que vence: *Na prova de natação Leandro foi* **vencedor**.

(*substantivo*) Aquele que vence ou venceu, vitorioso: *O* **vencedor** *da prova recebeu uma medalha de ouro*.

VENDAVAL (ven-da-val) (substantivo)

Vento forte que leva tudo o que está pela frente: *O terrível* **vendaval** *derrubou árvores e casebres*.

VENDER (ven-*der*) (*verbo*)

Trocar por dinheiro: *Papai* **vendeu** *o terreno que herdou do vovô.*

VENENO (ve-*ne*-no) (*substantivo*)

Substância tóxica, quer dizer, capaz de provocar doenças e até matar: *Os inseticidas são um* **veneno** *para as moscas, os mosquitos, as baratas.*

VENENOSO (ve-ne-*no*-so) (*adjetivo*)

Que contém veneno: *Substância* **venenosa**.

VENTANIA (ven-ta-*ni*-a) (*substantivo*)

Vento forte e contínuo: *Veio primeiro a* **ventania**, *depois, a tempestade.*

VENTAR (ven-*tar*) (*verbo*)

Soprar fortemente o vento: *Está* **ventando** *muito, isso é sinal de chuva.*

VENTILADOR (ven-ti-la-*dor*) (*substantivo*)

Aparelho para agitar o ar e refrescar o ambiente em que estamos: *Na casa do Toninho há um bonito* **ventilador**.

VENTO (ven-to) (*substantivo*)

Corrente de ar em movimento: *O **vento** muito forte chama-se ventania e vendaval.*

VER (*verbo*)

Enxergar: ***Vemos** bem quando nossos olhos estão bons.*
Assistir a alguma coisa: *Mamãe e eu **vimos** o último capítulo da novela.*

VERÃO (ve-*rão*) (*substantivo*)

Estação do ano, entre a primavera e o outono: *No **verão** o tempo é quente porque a Terra está mais próxima do Sol. No Brasil o **verão** vai de 22 de dezembro a 20 de março.*

VERBAL (ver-*bal*) (*adjetivo*)

Que se refere ao verbo, à palavra: *Comunicação **verbal** é o contrário da comunicação por escrito.*

VERBETE (ver-*be*-te) (*substantivo*)

Cada uma das palavras do dicionário ou da enciclopédia: *Os **verbetes** são classificados sempre em rigorosa ordem alfabética.*

VERBO (ver-*bo*) (*substantivo*)

Palavra que indica ação: andar, fazer, brincar, estudar, viver, comprar, vender etc.: *Os **verbos** sempre indicam o tempo em que se realiza a ação: no presente (ele anda), no passado (ele andou), no futuro (ele andará).*

VERDADE (ver-*da*-de) (*substantivo*)
Aquilo que é sem mentira nem falsidade; realidade: *As pessoas de bem não mentem, sempre dizem a* **verdade**.

VERDADEIRO (ver-da-*dei*-ro) (*adjetivo*)
Em que há verdade: *Os contos de fadas não são* **verdadeiros**, *são fantasias, coisas da imaginação.*

VERÍDICO (ve-*rí*-di-co) (*adjetivo*)
Real, verdadeiro: *O professor disse que iria nos contar uma história* **verídica**.

VERME (*ver*-me) (*substantivo*)
Animal invertebrado de corpo mole: *As minhocas e as lombrigas são* **vermes**.

VERNIZ (ver-*niz*) (*substantivo*)
Líquido transparente que dá brilho e proteção à madeira sobre a qual é aplicado: *A madeira (dos móveis, das portas e janelas) que recebe* **verniz** *fica envernizada.*

VERSO (*ver*-so) (*substantivo*)
Parte de trás de uma folha de papel, de uma moeda, de uma medalha etc.: *A moeda tem duas faces; na frente, a cara, e no* **verso**, *a coroa.*
Cada uma das linhas de um poema: *Um soneto tem catorze* **versos**.

VERTEBRADO (ver-te-*bra*-do) (*adjetivo*)
Que tem coluna vertebral ou espinha: *Os animais* **vertebrados** *são os que têm esqueleto.*

VESPA (ves-pa) (*substantivo*)

Inseto parecido com a abelha: *As* **vespas** *fêmeas têm um ferrão com o qual dão picadas muito doloridas.*

VESTIÁRIO (ves-ti-á-rio) (*substantivo*)

Lugar (nos clubes, associações, praças de esporte), em que se pode trocar de roupa: *É bom não confundir:* **vestiário** *é onde se troca de roupa;* **vestuário** *é a roupa.*

VESTIDO (ves-*ti*-do)

(*substantivo*) Roupa feminina: *Maria foi à festa de* **vestido** *longo.*
(*adjetivo*) Coberto com **vestido** ou roupa: *Quem não está nu, está* **vestido**.

VESTIR (ves-*tir*) (*verbo*)

Pôr sobre o corpo uma peça de vestuário: *Para ir ao colégio Lenira tem de* **vestir** *o uniforme.*

VESTUÁRIO (ves-tu-á-rio) (*substantivo*)

Roupa: *Veja a palavra* **Vestiário**.

VETERANO (ve-te-*ra*-no) (*adjetivo*)

Que exerce uma atividade qualquer há muito tempo: *Papai confia muito no Dr. Marcos, um médico* **veterano**, *envelhecido no ofício.*

VETERINÁRIO (ve-te-ri-*ná*-rio) (*substantivo*)

Médico especializado no tratamento de animais irracionais: *Quando nossa gata fica doente mamãe a leva ao* **veterinário**.

VIAGEM (vi-*a*-gem) (*substantivo*)

Deslocamento de um lugar para outro: *Podem-se fazer* **viagens** *por terra, por mar ou pelo ar, de trem, de navio, de avião.*

VIAJANTE (vi-a-*jan*-te) (*substantivo*)

Pessoa que viaja: *Os astronautas são os* **viajantes** *do espaço interplanetário.*

VIAJAR (vi-a-*jar*) (*verbo*)

Fazer uma viagem: *Nas férias escolares* **viajamos**, *vamos à praia e ao campo.*

VÍCIO (*ví*-cio) (*substantivo*)

Costume nocivo, mau hábito: *É bom fugir de qualquer* **vício**.

VIGILÂNCIA (vi-gi-*lân*-cia) (*substantivo*)

Atenção, observação atenta: *Cometemos muitos erros por falta de* **vigilância**.

VIGILANTE (vi-gi-*lan*-te) (*substantivo*)

Pessoa que vigia, que guarda: *Na entrada do prédio em que moramos há uma cabina para os* **vigilantes**.

VINHO (*vi*-nho) (*substantivo*)
Bebida alcoólica que se produz pela fermentação da uva: *Há vários tipos de* **vinho**.

VIOLINO (vi-o-*li*-no) (*substantivo*)
Instrumento musical com quatro cordas e que se toca com um arco: *Quem toca* **violino** *é violinista*.

VISÃO (vi-*são*) (*substantivo*)
Sentido pelo qual enxergamos o que está diante dos nossos olhos: *Com o olfato, o paladar, a audição e o tato, a* **visão** *é um dos nossos cinco sentidos*.

VISITAR (vi-si-*tar*) (*verbo*)
Ir ver alguém: *Vou ao hospital* **visitar** *o Julinho, que está doente*.
Ir a algum lugar, para conhecê-lo: *Quando esteve em Paris, papai* **visitou** *a Torre Eiffel*.

VISÍVEL (vi-*sí*-vel) (*adjetivo*)
Que se pode ver: *Nas noites limpas as estrelas são* **visíveis** *na escuridão do céu*.

VITAL (vi-*tal*) (*adjetivo*)

Importante e fundamental para a vida: *Comer, beber, dormir são necessidades* **vitais**.

VÍTIMA (*ví*-ti-ma) (*substantivo*)

Pessoa contra a qual se cometeu um crime ou um delito qualquer: *A* **vítima** *do homicídio, a vítima do roubo.* Pessoa que sofreu um dano, um prejuízo: *As* **vítimas** *do terremoto*.

VIVER (vi-*ver*) (*verbo*)

Estar com vida, existir: *É feliz quem* **vive** *com amor no coração.*

VÍVERES (*ví*-ve-res) (*substantivo*)

Gêneros alimentícios, mantimentos: *A carne, o leite, o pão, os ovos, as frutas e verduras são* **víveres** *indispensáveis à boa saúde.*

VOADOR (vo-a-*dor*) (*adjetivo*)

Que voa: *Os morcegos são animais* **voadores**.

VOAR (vo-*ar*) (*verbo*)

Elevar-se e manter-se no ar: *Os pássaros* **voam** *porque têm asas; os homens, porque andam de aviões e helicópteros.*

VOGAL (vo-*gal*) (*substantivo*)

Letra que se junta a consoantes para formar sílabas, palavras e frases: *Nossa língua tem cinco* **vogais**: *a, e, i, o, u.*

VOLTAR (vol-*tar*) (*verbo*)

Ir ao ponto de onde tinha partido: *Terminada a aula,* **voltei** *para casa.*
Recomeçar, fazer de novo: *Caroline foi atender o telefone e depois* **voltou** *a estudar.*

VOLUNTÁRIO (vo-lun-*tá*-rio)

(*adjetivo*) Espontâneo, feito de livre vontade: *Aos domingos mamãe faz trabalho* **voluntário** *em favor das crianças carentes.*
(*substantivo*) Pessoa que se oferece para realizar um trabalho: *Quando houve um incêndio na fazenda, muitos* **voluntários** *ajudaram a apagar o fogo.*

VULCÃO (vul-*cão*) (*substantivo*)

Abertura no topo de uma montanha, chamada cratera, pela qual são lançados vapores, gases, cinzas e lavas: *Às explosões de um* **vulcão** *dá-se o nome de erupção vulcânica.*

Ww

W (*substantivo*)
Vigésima terceira letra do abecedário ou alfabeto.
Pode ser maiúsculo: W, ou minúsculo: w. O **w** é uma consoante (Veja essa palavra).

WAFER (*wa*.fer) (*substantivo*)
Biscoito fino de três ou quatro camadas, geralmente recheado de chocolate ou outras massas cremosas: *Cristina adora comer* **wafer** *no café da manhã.*

WEB (*uéb*) (*substantivo*)
Nome pelo qual a internet passou a ser conhecida a partir de 1991. *Os alunos gostaram de navegar na* **web**.

WINDSURFE (wind-*sur*-fe) (*substantivo*)
Esporte em que a pessoa desliza sobre as ondas por meio de uma prancha com vela: *O* **windsurfe** *é chamado de esporte radical, pois é arriscado.*

WORKSHOP (work-*shop*) (*substantivo*)
Curso de curta duração: *Há* **workshops** *sobre diversos assuntos: culinária, artes, ciências etc.*

Xx

X (*substantivo*)

Vigésima quarta letra do abecedário ou alfabeto. Pode ser maiúsculo: X, ou minúsculo: x. O **x** é uma consoante (Veja essa palavra).

XADREZ (xa-drez) (*substantivo*)

Jogo sobre um tabuleiro de 64 casas, em que se fazem mover 32 peças (16 peças para cada um dos dois jogadores):
As peças do **xadrez** *se chamam rei, rainha, torre, bispo, cavalo e peão.*
Cadeia, prisão: *O bandido foi para o* **xadrez**.

XALE (*xa*-le) (*substantivo*)

Peça de vestuário que as mulheres usam para cobrir ou enfeitar os ombros e o tronco: *Papai trouxe da Espanha um lindo* **xale** *para mamãe.*

XAMPU (xam-*pu*) (*substantivo*)

Sabão líquido usado especialmente para lavar os cabelos: *Mamãe usa* **xampu** *de camomila.*

XAROPE (xa-*ro*-pe) (*substantivo*)

Medicamento líquido e viscoso que se usa principalmente para combater a tosse: *Laurindo toma **xarope** sem reclamar, acha-o gostoso.*

XERETA (xe-re-ta) (*adjetivo*)

Intrometido, bisbilhoteiro: *Luisinho é um bom menino, mas muito **xereta**.*

XÍCARA (*xí*-ca-ra) (*substantivo*)

Taça funda e com asa para conter líquidos quentes (chá, café, leite): *Pela manhã sempre tomo uma **xícara** de café com leite.*

XINGAR (xin-*gar*) (*verbo*)

Dirigir palavras duras e feias a alguém, ou contra alguma coisa: *A torcida gritava e **xingava** o juiz.*

XIXI (xi-*xi*) (*substantivo*)

Urina: *Já faz tempo que Leontina deixou de fazer **xixi** na cama.*

Yy

Y (*substantivo*)

Vigésima quinta letra do abecedário ou alfabeto. Pode ser maiúsculo: Y, ou minúsculo: y. O **y** é uma vogal utilizada mais em palavras de origem estrangeira.

YAKISOBA (ya.ki.so.ba) (*substantivo*)
Prato japonês de macarrão com verduras: *Os orientais comem* **yakisoba** *com hashi, pauzinhos que servem como talheres.*

YIN-YANG (yin-yang) (*substantivo*)
Na cultura chinesa, significa as forças opostas e complementares que compõem e equilibram tudo que existe: *O símbolo do* **yin-yang** *é um círculo metade branco e metade preto, com uma bolinha da cor oposta em cada lado.*

Zz

Z (*substantivo*)

Vigésima sexta letra do abecedário ou alfabeto. Pode ser maiúsculo: Z, ou minúsculo: z. O **z** é uma consoante (Veja essa palavra).

ZANGADO (zan-*ga*-do) (*adjetivo*)

Irritado, de mau humor: *Fábio não tem alegria, vive sempre* **zangado**.

ZANGÃO (zan-*gão*) (*substantivo*)

O macho da abelha: *Os* **zangões** *não fabricam mel e comem o que as fêmeas produzem*.

ZARPAR (zar-*par*) (*verbo*)

Partir (o navio): **Zarpar** *é o mesmo que levantar âncora*.

ZEBRA (ze-bra) (*substantivo*)

Animal mamífero parecido com o cavalo: *As* **zebras** *são brancas com listras negras*.

ZELADOR (ze-la-*dor*) (*substantivo*)

Homem encarregado da guarda, limpeza e conservação do edifício no qual trabalha: *O* **zelador** *do prédio em que moro é contra a presença de cães e gatos nos apartamentos.*

ZELAR (ze-*lar*) (*verbo*)

Tomar conta de alguma coisa ou de alguém: *Vovô é muito amoroso, sempre* **zelou** *pelos netos.*

ZELOSO (ze-*lo*-so) (*adjetivo*)

Muito cuidadoso: *Alfredo é um menino* **zeloso**, *cuida bem de seus livros e cadernos.*

ZINCO (zin-co) (*substantivo*)

Metal branco-azulado, usado na cobertura de casas e na fabricação de utensílios domésticos: *Era gente muito pobre, que morava num barracão de* **zinco**.

ZOMBAR (zom-*bar*) (*verbo*)

Caçoar de alguém: *É feio* **zombar** *dos outros, devemos é ajudá-los.*

ZOOLOGIA (zo-o-lo-gi-a) (*substantivo*)

Ciência que estuda, descreve e classifica os animais: *O especialista em* **zoologia** *é o zoólogo ou zoologista.*

ZOOLÓGICO (zo-o-*ló*-gi-co) (*substantivo*)
Onde se encontram animais de todas as partes do mundo, e que ali vivem para serem vistos pelo público: *Nosso professor programou uma visita de todos os alunos ao jardim* **zoológico** *da cidade.*

ZUMBIDO (zum-*bi*-do) (*substantivo*)
Ruído que fazem os insetos voadores, como as abelhas e os pernilongos: *Ninguém consegue dormir com o* **zumbido** *dos pernilongos.*
Ruído nos ouvidos: *Já faz tempo que titio vem se queixando de um* **zumbido** *que o atormenta.*

Apêndice

Appendix

Boas Maneiras

A boa educação começa em casa, com os familiares.

Para pedir alguma coisa diga:
– Por favor.

Para agradecer diga:
– Obrigado!

Quando cometer alguma falta diga:
– Desculpa.

Nas refeições:

Não coma de boca aberta.
Não fale de boca cheia.
Não se agite o tempo todo.
Evite derramar comida ou bebida.
Para se retirar da mesa, peça licença aos demais.

Papel, cascas de frutas, restos de comida devem ser sempre jogados em latas de lixo, seja em casa, seja na rua.

Quando a mamãe estiver ocupada pergunte em que pode ajudá-la. Você pode ser muito útil:

cuidando do irmão menor;
levando e trazendo recados;
fazendo pequenas compras;
ajudando em serviços leves.

No ônibus, no trem, no metrô ou qualquer recinto, ofereça seu lugar, se uma senhora, uma mulher grávida ou um idoso estiver de pé.

Quando chegar em casa e encontrar uma visita, cumprimente, pergunte como vai e, se for visita de cerimônia, peça licença e se retire.

Cores

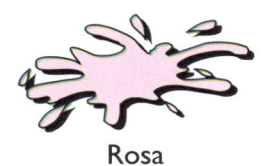

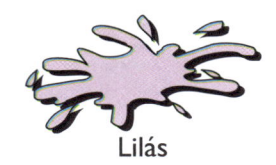

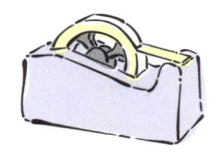

Branco

Rosa

Lilás

Amarelo

Laranja

Vermelho

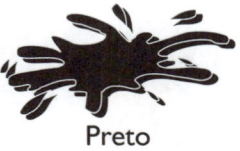

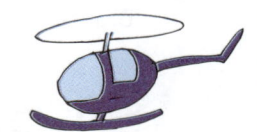

Azul

Verde

Marrom

Preto

Formas Geométricas

Quadrado

Círculo

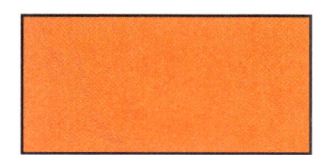

Retângulo

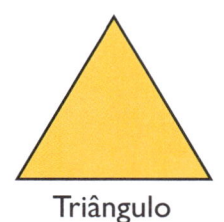

Triângulo

Estrela

Opostos

Grande

Pequeno

Fino

Grosso

Alto

Baixo

Números

	1	um
	2	dois
	3	três
	4	quatro
	5	cinco
	6	seis

sete 7

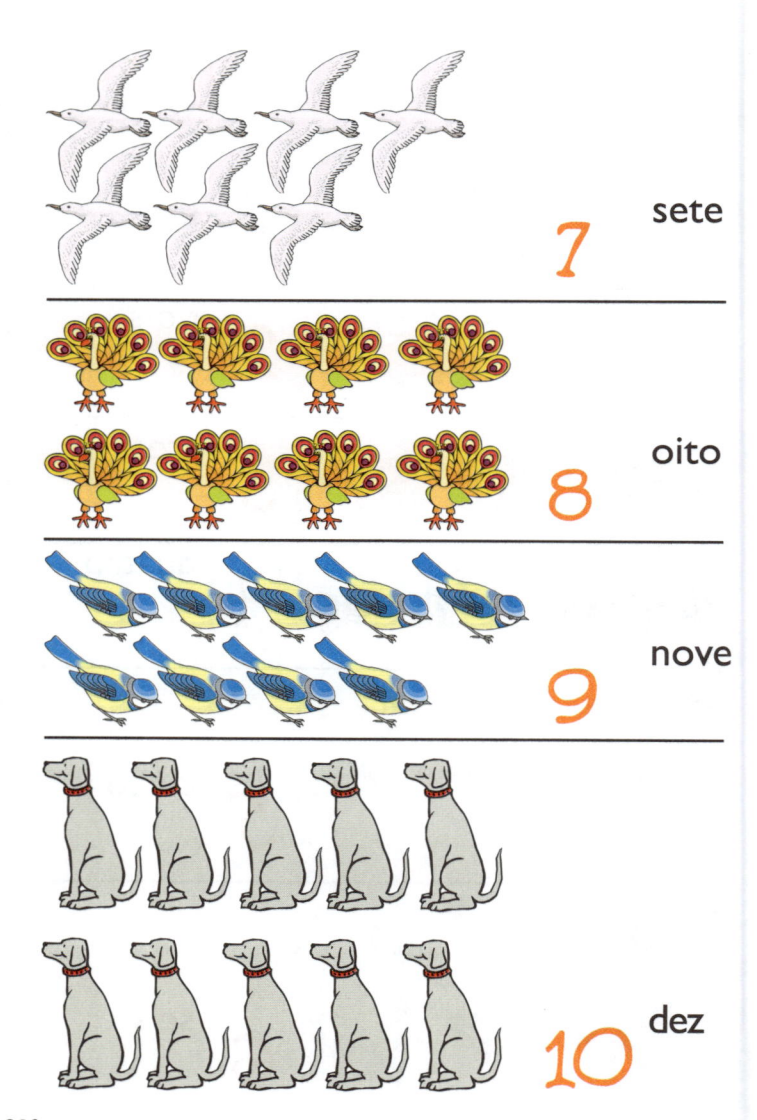

oito 8

nove 9

dez 10

Corpo Humano

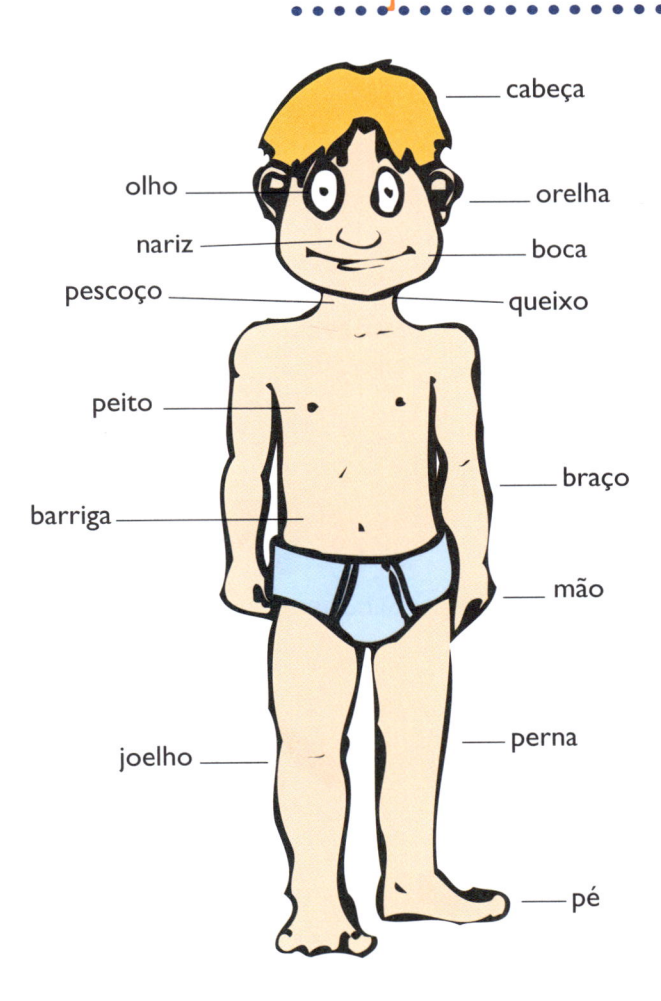

- cabeça
- olho
- orelha
- nariz
- boca
- pescoço
- queixo
- peito
- braço
- barriga
- mão
- joelho
- perna
- pé

Produtos de Higiene

- Pente
- Escova de cabelo
- Bastões de algodão
- Desodorante
- Perfume
- Sabonete
- Toalha
- Escova de dente
- Esponja
- Pasta de dente

Expressões Faciais

Alegre

Triste

Zangado

Assustado

Estações do ano

Inverno

Primavera

Verão

Outono

Lista de créditos

Almoço: Christiane Grof

Boca: Marcelo Gagliano

Cabra: Daniela Moreira Alves

Livro: Alcides Correa

Merenda: Daniela Moreira Alves

Nariz: Alcides Correa

Orelha: Alcides Correa

Prata: Tatiana Popova/Shutterstock

Refeição: Christiane Grof

Umbigo: Bruna Alves

Velhinho: Marcelo Gagliano

Web: Choucashoot/PhotoXpress

Yakisoba: Jaqueline Spezia